La collection
ROMANICHELS
est dirigée par
André Vanasse

De la même auteure

Poésie
La peau familière, Montréal, Éditions du remue-ménage, 1983.
Où, Montréal, Éditions de La Nouvelle Barre du Jour, 1984.
Chambres, Montréal, Éditions du remue-ménage, 1986.
« Quand on a une langue, on peut aller à Rome » (en collaboration avec Normand de Bellefeuille), Montréal, Éditions de La Nouvelle Barre du Jour, 1986.
Bonheur, Montréal, Éditions du remue-ménage, 1988.
Noir déjà, Montréal, Éditions du Noroît, 1993.
Tout près, Montréal, Éditions du Noroît, 1998.
Les mots secrets, Montréal, Éditions de la courte échelle, 2002.
Une écharde sous ton ongle, Montréal, Éditions du Noroît, 2004.

Romans
La memoria, Montréal, XYZ éditeur, coll. « Romanichels », 1996. Réédité dans la collection « Romanichels poche ». Publié à Bruxelles, à la Renaissance du livre, 2002.
La Voie lactée, Montréal, XYZ éditeur, coll. « Romanichels », 2001.

Théâtre
Si Cendrillon pouvait mourir ! (en collaboration), Montréal, Éditions du remue-ménage, 1980.
Tout comme elle, suivi d'une conversation avec Brigitte Haentjens, Montréal, Québec Amérique, coll. « Mains libres », 2006.

Livres d'artiste
Renoncement, suite poétique accompagnée de six peintures originales de Jean-Luc Herman, calligraphiée et signée, Paris, Éditions Jean-Luc Herman, 1995.
Parfois les astres (en collaboration avec Denise Desautels, dans une conception de Jacques Fournier), Montréal, Éditions Roselin, 2000.
Le noir, la lumière, suite poétique avec des aquarelles originales signées Chan Ky-Yut, créations uniques pour chaque exemplaire. Aux dépens de l'artiste, Ottawa, 2002.

Essais
La théorie, un dimanche (en collaboration avec Louky Bersianik, Nicole Brossard, Louise Cotnoir, Gail Scott et France Théoret), Montréal, Éditions du remue-ménage, 1988.
Stratégies du vertige. Trois poètes : Nicole Brossard, Madeleine Gagnon, France Théoret, Montréal, Éditions du remue-ménage, 1989.
Sexuation, espace, écriture. La littérature québécoise en transformation, sous la direction de Louise Dupré, Jaap Lintvelt et Janet M. Paterson, Québec, Nota bene, 2002.

L'été funambule

Catalogage avant publication de Bibliothèque et Archives nationales du Québec
et Bibliothèque et Archives Canada

Dupré, Louise, 1949-

    L'été funambule : nouvelles

    (Romanichels)

    ISBN 978-2-89261-512-8

    I. Titre. II. Collection.

PS8557.U66E83 2008   C843'.54   C2008-940181-6
PS9557.U66E83 2008

La publication de cet ouvrage a été rendue possible grâce à l'aide financière du ministère du Patrimoine canadien par l'entremise du Programme d'aide au développement de l'industrie de l'édition (PADIÉ), du Conseil des Arts du Canada (CAC) et du ministère de la Culture et des Communications du Québec (MCCQ) par l'entremise de la Société de développement des entreprises culturelles (SODEC).

© 2008
XYZ éditeur
1781, rue Saint-Hubert
Montréal (Québec)
H2L 3Z1
Téléphone : 514.525.21.70
Télécopieur : 514.525.75.37
Courriel : info@xyzedit.qc.ca
Site Internet : www.xyzedit.qc.ca

et

Louise Dupré

Dépôt légal : 1er trimestre 2008
Bibliothèque et Archives Canada
Bibliothèque et Archives nationales du Québec
ISBN 978-2-89261-512-8

Distribution en librairie :

Au Canada :
Dimedia inc.
539, boulevard Lebeau
Ville Saint-Laurent (Québec)
H4N 1S2
Téléphone : 514.336.39.41
Télécopieur : 514.331.39.16
Courriel : general@dimedia.qc.ca

En Europe :
DNM – Distribution du Nouveau Monde
30, rue Gay-Lussac
75005 Paris, France
Téléphone : 01.43.54.49.02
Télécopieur : 01.43.54.39.15
www.librairieduquebec.fr

Droits internationaux : André Vanasse, 514.525.21.70, poste 25
andre.vanasse@xyzedit.qc.ca

Conception typographique et montage : Édiscript enr.
Maquette de la couverture : Zirval Design
Photographie de l'auteure : Jean-Pierre Masse
Illustration de la couverture : Ernst Ludwig Kirchner, *Femme devant un miroir*, 1912
Illustration des pages de garde : détail de la couverture

Louise Dupré

L'été funambule

nouvelles

éditeur

Romanichels

à Cécile

à Jean-Paul,
Louise,
Alain,
Nicole

Il y a certainement un rapport, oui,
entre le voyage et le corps, et la mer
que l'on voit, que l'on ne voit plus,
que l'on cherche inlassablement.

SYLVIE MASSICOTTE
Au pays des mers

Ouverture

Pas à pas

Il faudrait commencer. Tracer d'abord une phrase, et sans doute que d'autres viendraient s'y greffer, et d'autres ensuite, suivies d'autres phrases. Vous finiriez par avoir un texte. Vous ne vous demandez pas d'écrire un grand texte, mais un texte, tout simplement, un texte qui se tient. Or, l'écran de l'ordinateur reste vide. Vide et gris. Ce n'est pas faute d'essayer. Jusqu'ici, vous n'êtes pas arrivée à vous voir comme une femme capable de tout laisser derrière elle, de partir pour refaire sa vie, de s'embarquer à bord d'un navire hissant pavillon inconnu, d'aller explorer les îles les plus lointaines.

Aussi bien le reconnaître, vous n'appartenez pas à la race des aventurières. Votre mère non plus, ni votre grand-mère. Cette aïeule pourtant, venue s'établir en Nouvelle-France à l'âge de seize ans avec son deuxième mari. Des maris, elle en aura quatre. Son fils François suivra Joliette dans ses expéditions. Et son arrière-arrière-petit-fils, Bruno, ira étudier à New York à une époque où l'on n'étudiait pas.

Quelque chose s'est perdu dans la famille. Sédentaires, vous l'êtes tous devenus, on ne sait pas pourquoi. La peur peut-être, une vieille peur qui visse chacun à sa vie. Une mémoire ancienne, le mot *catastrophe*, tatoué en grosses lettres sur la peau, et qui fait battre le cœur follement, la nuit, dans les rêves. Quand vous vous réveillez, il ne reste que des ombres sans visage sur les murs de votre chambre. Immobile, vous attendez patiemment qu'elles s'estompent, vous avez appris à cultiver la patience comme d'autres les orchidées.

Inutile d'insister, vous ne réussirez pas à écrire ce texte. Vous décidez de fermer ce dossier pour en ouvrir un autre, celui de votre roman, là où surgissent des femmes qui se permettent de changer de vie. Anne, par exemple, une Martin, comme votre grand-mère. Justement, Anne a décidé de tout laisser derrière elle. Son travail, ses amis, sa mère. Il lui a fallu beaucoup de courage. Ou de l'humilité. Un matin, elle a su que, même sans elle, la terre continuerait de tourner. Elle ne pouvait pas faire le bonheur des autres, alors pourquoi ne pas faire son bonheur à elle ?

Vous, vous êtes moins humble. Ou bien vos proches ont la délicatesse de vous faire croire qu'ils ont besoin de vous. Heureuse, vous l'êtes, vous l'êtes comme on peut l'être quand on ne perd pas toute lucidité, c'est peut-être pourquoi vous n'avez jamais eu l'idée de tout quitter. Vous aimez votre vie, même avec le noir que vous portez en vous, ce noir qui vous suivrait même si vous alliez vous réfugier au fond d'un désert perdu. On peut fuir ses parents, son homme, ses enfants, son pays, on peut laisser derrière soi son cœur, mais pas son âme.

Vous voyagez, bien sûr, vous avez visité des villes surpeuplées et des paysages de cartes postales, vous vous êtes baignée dans la même mer qu'Ulysse, comme Proust vous avez admiré *Vue de Delft* de Vermeer, mais toujours vous êtes revenue vers votre port d'attache, cette maison dont vous avez soigneusement peint vous-même les murs. C'est là que vous écrivez. Le matin, vous vous assoyez dans votre lit, avec vos dictionnaires, et votre petit monde se peuple, vous rêvez devant des personnages que vous aimeriez rencontrer. Parfois, vous leur faites accomplir des actes que vous, vous n'avez jamais osés, et vous êtes réjouie jusqu'au coucher. Comme si un instant vous ouvriez une fenêtre sur quelqu'un en vous que vous connaissiez à peine. Cette femme que vous auriez pu être dans une autre vie.

Vous ne direz pas que la fiction vous invente, vous auriez l'impression de répéter les clichés qu'on lit dans les entrevues vite menées. Vous ne pourriez pas arrêter d'écrire, même si on vous offrait toutes les vies possibles. D'ailleurs, l'écriture prend de plus en plus de place dans vos journées, elle vous suit, elle combat le noir qui se répand parfois dans toute votre chair. Vous vous voyez comme une funambule qui traverse lentement la piste sur son fil en essayant de se concentrer. Personne n'est là cependant pour vous applaudir. C'est dans la solitude que vous avancez.

Mais vous avancez, pas à pas, vous poursuivez votre petit chemin. Vous mourrez très vieille, sans avoir largué les amarres, comme les dernières femmes de votre lignée. Est-ce si grave ? Vous viendra-t-il un regret à l'instant où votre main s'immobilisera à tout jamais sur un clavier d'ordinateur ? Vous ne le croyez pas, mais allez savoir ce qui se passera alors dans votre tête. Peut-être vous mettrez-vous à déplorer de n'avoir pas été de ces femmes extravagantes que vous admirez, les soirs de pluie, dans les reportages télévisés.

Vous dites souvent qu'il faut en arriver à connaître les possibles de son écriture. N'en est-il pas de même pour sa vie ? Vous êtes maintenant prête à l'admettre, même s'il vous est difficile de l'écrire. Vous vous retournez déjà pour regarder loin derrière, et cette pensée vous renvoie de vous une image peu flatteuse. Vous la forcerez pourtant à entrer dans des phrases, puisque vous n'avez pas le choix. Vous avez promis d'écrire ce texte et vous avez toujours voulu tenir vos promesses. Alors aussi bien commencer.

I

Babel heureuse

Ce ne serait pas l'ennui, un ennui sans fond, sans fin, comme l'été d'avant : le restaurant du coin, la salle de danse le samedi soir après la semaine de travail au terrain de jeu, les mêmes conversations toujours. Depuis quelques mois, le mot *Expo* était entré dans notre vocabulaire, il nous faisait rêver, comme les documentaires sur l'Afrique qu'on nous présentait au collège, des femmes à la peau d'ébène, leurs robes si fleuries qu'elles en étaient indécentes. Nos mères à nous, elles allaient à la messe dans des tailleurs décorés d'un collier de fausses perles. Dans notre univers bien réglé, on sentait davantage les origines puritaines des loyalistes que la Révolution tranquille. On écoutait Adamo, les Beatles, Claude Léveillée, mais on ne savait pas dire *amour libre* et *contraception*, encore moins *avortement*.

Ce serait un été de découvertes, cela on le savait, on chantait *Un jour, un jour*, on s'imaginait déjà à Montréal. Pour la première fois, on prendrait le métro jusqu'aux îles, on passerait la journée dans des décors exotiques, on mangerait de la nourriture étrange, on rencontrerait des gens qu'on ne côtoyait jamais chez nous. On deviendrait des adolescentes qui ont voyagé, comme les filles d'ambassadeurs, d'aventuriers, de millionnaires. Ou encore, comme les belles hôtesses qu'on voyait à la télévision. À peine plus âgées que nous, mais elles fixaient la caméra à la façon des femmes, on ignorait à quoi c'était dû : à leur costume haute couture, au fait qu'elles parlaient anglais ou à un autre savoir, intime celui-là, si intime qu'on n'osait pas l'évoquer entre nous. Le monde s'ouvrait, brusquement. Ou, plutôt, il s'était brisé, tel un bibelot de porcelaine, et il laissait voir d'autres mondes qu'on n'avait pas soupçonnés. On pouvait vivre différemment, s'habiller différemment, aimer sans peur, sans regrets. Rien ne serait plus pareil.

L'Expo, c'était l'autobus nolisé par l'Organisation des terrains de jeu, une route de deux heures, la joie de se retrouver en groupe, une journée entière de ravissement, un site encore plus beau que sur les photos, les files d'attente, la patience qu'il fallait, on n'avait pas la chance des Montréalais. Eux, ils prenaient le métro et hop ! vingt minutes plus tard, ils étaient devant le pavillon de la France ou de l'Angleterre, ils pouvaient venir durant la semaine, beaucoup avaient même acheté un passeport. Une femme nous avait dit, avec un sourire épanoui, qu'elle venait tous les jeudis.

J'avais eu un pincement au cœur. Moi aussi, un jour, j'habiterais une grande ville, j'aurais de l'argent, je pourrais prendre le temps de voir tous les spectacles que je souhaitais, j'irais en vacances dans les pays les plus lointains, la Thaïlande et le Japon. *Qui s'instruit s'enrichit*, on ne cessait pas de nous le répéter, il suffisait d'étudier, le latin, le grec, l'anglais et la littérature, oui, la littérature nous promettait une Expo perpétuelle, combien d'écrivains avaient voyagé ! Je me retrouverais dans des pays semblables à ceux des pavillons que je visitais, presque religieusement, cet été-là. Comme tous ceux de ma génération, je serais invincible, la vie ne m'apporterait pas de mauvaises surprises, j'accomplirais mes projets les plus fous. Je suivrais l'exemple de ceux qui n'avaient pas hésité à construire une île pour y installer la huitième merveille du monde. Le

Québec avait même son pavillon, comme s'il s'agissait d'un pays…

De cet été-là, je garde le souvenir d'un enthousiasme débridé, d'une foi à toute épreuve. Lorsque je reviens de ma ville, je me mets à sourire dès que l'autobus s'engage sur le pont Jacques-Cartier, j'allonge le cou vers la vitre sale, je cherche à ressusciter mes vieilles images. Une sculpture, une toile, un plat goûté au pavillon indien, les soirées à la Ronde avec les copains. Mais rien. Que des impressions floues, fugitives. Ce beau vertige ressenti dans le métro, que j'éprouverais à nouveau lors de mon baptême de l'air, quelques années plus tard. Ce sentiment de liberté en me retrouvant dans une foule où personne ne me connaissait, l'ivresse d'appartenir à une humanité aux milliards de visages que je voulais tous rieurs. La misère, l'esclavage, la souffrance, je ne me rappelle pas y avoir songé, à l'Expo. Peut-être parce que je ne voulais pas. J'étais devant un monde propre, rassurant, bien à l'abri sur des îles protégées par les eaux paresseuses du Saint-Laurent.

Protégées, nous aussi nous l'étions, nous semblait-il. Il ne nous serait pas venu à l'esprit que nous puissions rencontrer des escrocs, des pervers. Nous parlions à tous ceux qui connaissaient le français. Nous mettions aussi en pratique nos cours d'anglais. *Where are you from? Is it your first trip in Canada?* Souvent, nous échangions une adresse, un numéro de téléphone. *If you come to Germany, call me. Of course.* Nous avions maintenant des amis de Los Angeles à Tokyo. De retour à la maison, j'enfermais leurs noms dans une petite boîte. Je me demande bien ce que j'en ai fait, sans doute l'ai-je égarée lors d'un de mes nombreux déménagements. Je ne l'ai pas jetée, je m'en souviendrais. Après quarante ans, de quoi peut-on être sûr, pourtant ?

Mais un souvenir me reste, tout à fait clair, vivant. L'Expo se terminerait bientôt, c'était l'anniversaire de ma grande amie Luce, ses parents nous avaient emmenées en auto à Montréal. Nous nous étions fait un itinéraire précis. Nous voulions visiter tous les pavillons que nous n'avions pas vus encore, tant pis pour les heures d'attente de plus en plus longues à mesure qu'avançait la saison. Je ne me rappelle plus devant quel pavillon nous étions. Mais nous attendions, Luce et moi, depuis au moins deux heures, alors qu'une hôtesse faisait des pieds et des mains pour nous distraire. Elle incitait des gens de différentes nationalités à entamer un chant de leur pays. La plupart s'exécutaient avec bonne humeur. Puis, sans doute à bout de ressources, l'hôtesse a eu une idée : demander aux personnes dont c'était l'anniversaire de lever la main. J'ai montré mon amie. Aussitôt, une belle cacophonie a monté. Elle résonnait, faisait vibrer l'île Notre-Dame, nous emportait dans sa joie. On chantait *Bonne fête* à Luce dans toutes les langues.

Nos yeux se sont remplis d'eau. Nous étions émues, si émues, Luce et moi. C'était Babel heureuse, Babel enfin réconciliée. Pacifiée. La Terre des hommes. Nous n'oublierions jamais. Jamais, jamais ce moment béni, le 11 septembre 1967. Le 11 septembre, ce symbole, désormais, des plus grands espoirs.

Les yeux givrés

Il la déteste. Il la déteste comme un homme peut détester une femme qu'il aime, cette vérité lui éclate au visage. Entière, lumineuse. Elle ne pourra jamais se résoudre à répéter les mots qu'il a prononcés, elle en éprouve une honte confuse, coupable de ne pas tout accepter de lui, coupable oui, c'est ce qu'elle a perçu. Comment a-t-elle trouvé la force d'affirmer, en le regardant droit dans les yeux, qu'il valait mieux se quitter, elle ne sait pas. Mais déjà l'étau se desserre, elle pourra rester assise devant lui le temps de terminer le repas sans drame, comme si elle était une autre. On n'en est qu'à l'entrée.

La neige a commencé à tomber. À la table d'à côté, on parle de la tempête qui est annoncée, *Vingt-cinq centimètres au moins, quel pays !* Elle revoit les colons des époques lointaines, leur isolement dans les rangs ensevelis sous la neige, se laissaient-ils gagner par le désespoir ? Elle-même se retrouve présentement dans une ville étrangère qu'il faudra bientôt affronter. Il s'agit de sa ville pourtant, cette ville où depuis sa naissance elle marche, rit et dort. Cette ville où elle l'a rencontré, lui, où ils ont fait l'amour pour la première fois.

En quelques minutes, la fenêtre est devenue blanche, on parvient à peine à distinguer les rares passants qui se sont aventurés dehors. Avec lui, elle s'est si souvent promenée main dans la main dans la poudrerie. L'impression alors que rien ne lui résistait, aucun obstacle. *Est-ce qu'on se reverra ?* Il lui pose la question avec une certaine humilité et elle répond qu'elle ne sait pas. Il lui faudra réapprendre à nommer son corps disloqué, survivre à la destruction, je t'aime tu m'aimes on s'aime, les lèvres qui se cherchent dans des draps trop fleuris.

À peine si elle remarque que les rognons sont durs. *Veux-tu que je dise au garçon de les rapporter ?* demande-t-il. Elle secoue la tête, de toute façon elle ne mangera que quelques bouchées. Il semble avoir retrouvé l'affection qu'il avait pour elle, peut-être est-ce moins difficile puisque entre eux il n'y a plus rien à racheter. Elle repousse son assiette et attend, il n'a pas encore terminé, c'est sans doute la dernière fois qu'elle le voit soulever sa fourchette en tordant un peu la main, ce détail la fait chavirer. Dans quelques mois, on se rencontrera dans un restaurant semblable à celui-ci, on s'embrassera pour la forme, on n'osera pas s'avouer que l'amour n'existe plus qu'au fond d'une vieille mémoire, on bavardera un peu avant de se diriger chacun vers sa table. À peine se jettera-t-on un regard inquiet durant le repas.

Le restaurant s'est vidé très tôt, les gens sentent sans doute le besoin de se terrer. La rue s'enlise dans une épaisseur molle, on oublie que, derrière la fenêtre, il y a une ville, une ville qui hoquette, se débat, suffoque. Elle a fini le café, elle se tait. Elle revoit la dureté de son regard à lui alors qu'il l'a achevée sous le poids des mots. Le garçon a apporté l'addition. Il faut s'arracher à cette table. Elle insiste pour payer sa part, elle ne se laissera pas inviter, pas ce soir. Elle lui demande de la laisser sortir la première, qu'on n'ait pas à se dire adieu dans la désolation. Elle s'emmitoufle soigneusement et se dirige vers la porte.

Tout à fait paralysée la ville maintenant. Mais elle marchera, elle marchera, oui, pour retarder le moment où elle se retrouvera seule à la maison. Elle avancera en posant les pieds l'un devant l'autre, avec application, avec l'effort de ceux qui ont à avancer sans savoir où ils vont. Elle imagine François Paradis dans la tempête, son aveuglement, tant d'amour pour Maria.

Elle retrousse la manche de son manteau pour regarder sa montre. Près de dix heures. Il est sans doute arrivé chez lui, il s'apprête à regarder le journal télévisé, il est sauvé. Elle, elle ignore où elle est rendue. Ses yeux givrés n'arrivent plus à distinguer le nom des rues. Peut-être a-t-elle commencé à se perdre.

Le bar

Tintement de verres bon marché à travers une musique aseptisante, trouée de rires, et ces phrases qui s'élèvent par vagues, tout à coup, et viennent s'échouer dans l'oreille, *How nice! Exactly!*, tous ces inconnus qui essaient de se faire une vie à la frontière de leur vie. Mais sont-ils si différents de moi? Qu'est-ce que je fais, dans ce lieu perdu, alors que je ne mets jamais le pied dans un bar à Montréal? Quelle idée d'être venue donner des conférences à l'autre bout du monde, ou presque! Mais c'est sans doute la fatigue, l'horaire serré de la journée, le décalage, je me suis réveillée à l'aube ce matin. Aussi bien l'admettre, je ne ferai jamais partie de ces écrivains qui dorment dans leur valise comme dans leur propre lit. Il faut bien sortir de sa coquille pourtant, renoncer à ses petites habitudes, on répond oui, on accepte, comme si on faisait un geste d'éclat, se forcer à devenir, pour quelques jours, une femme qui sait respirer les odeurs d'un océan lointain, commander ses repas dans une autre langue, dire ce qu'il faut en toute circonstance.

Je ne me suis jamais sentie à ma place dans un bar, coincée entre le vacarme et la lumière toujours mal ajustée, pourquoi n'existe-t-il pas un seul bar au monde avec un éclairage convenable? Je n'ai jamais vu non plus une seule salle de classe correctement éclairée, et pourtant là, je sais parler, respirer, écouter, je ris d'un rire net, sans me prendre pour un personnage de théâtre. Pour accompagner la femme qui m'a emmenée ici, je commande *A light beer please*, c'est ce qui me convient le mieux avant le sommeil, bientôt je serai dans ma baignoire, un peu de patience. Je souris à Olga, elle s'appelle Olga, oui, elle est charmante, elle a traversé la moitié de la planète pour venir s'installer ici, précisément ici, il y a vingt-cinq ans. Voilà qui me fascine, ces gens qui ont tout laissé derrière eux et qui essaient de reconstituer, dans leur lieu d'adoption, quelque chose comme une famille. Moi, j'aurai toujours habité à cent cinquante kilomètres de l'hôpital où ma mère m'a donné naissance, un après-midi de canicule. L'hiver, il fait très froid, un froid glacial qui effraie les gens d'ici. Ici, c'est l'été toute l'année, Olga a peut-être préféré ce climat aux hivers de mon pays, mais peut-être s'agit-il seulement d'un de ces hasards qu'on appelle le destin, le destin qui parfois ne fait pas trop mal les choses.

Elle a rencontré un homme, ici, Olga, ils ont ensemble une maison, un jardin, un compte en banque, de grands enfants qui pensent partir eux aussi, c'est sa seule peine, elle n'aura pas la joie de voir grandir ses petits-enfants. Elle est douée pour le bonheur cependant, et elle chasse bien vite le nuage gris de ses yeux, elle me demande si moi j'ai des enfants. J'ouvre la bouche, mais un jeune homme séduisant surgit et Olga se lève aussitôt, lui tend la main, lui montre la chaise libre, à côté de moi. Il décline l'invitation d'un geste élégant de la tête, montre des copains, assis au fond de la salle. Puis il nous salue et, tout aussi élégamment, il va les rejoindre. *Jeremy, le fils d'une amie*, murmure Olga, les yeux dans le vague. *Une grande amie qui se meurt du cancer*, ajoute-t-elle en se raclant la gorge.

Curieusement, les voix se sont presque évaporées dans l'air, comme si on avait entendu. Je jette un regard oblique à Jeremy, là-bas, en grande conversation avec une jeune fille dont je n'aperçois que l'épaisse chevelure blonde, je me demande si elle est jolie, je me demande s'il la drague, je me demande comment on peut draguer quand sa mère est en train de mourir. Mais je chasse aussitôt cette pensée, suis-je la gardienne de la morale, la vie ne continue-t-elle pas même si, autour de nous, les gens disparaissent? J'apprends d'ailleurs toutes les semaines que des connaissances ont le cancer, même des enfants, on n'entend que ce mot-là aujourd'hui, il me semble qu'il y a quelques années il ne revenait pas aussi souvent dans les conversations.

Devant moi, Olga fixe toujours le même point, en silence, quelles images passent dans ses yeux? Je prends une gorgée de bière pour attirer son attention, il faut lui poser une question, l'amener à me parler de son amie, je veux tout savoir de ce cancer, curiosité, voyeurisme, morbidité naturelle, je n'arrive pas à saisir les vraies raisons, peut-être simplement exorciser la peur, pouvoir me répéter tout à l'heure, devant le paysage calme suspendu au mur de ma chambre, que je lèverai l'ancre, moi, à quatre-vingt-dix-neuf ans, pas une journée de moins. Avant même que j'arrive à articuler la bonne question, Olga se met à raconter, le regard toujours dans le vague, comme si elle commentait en voix hors champ un film qu'elle se projetait dans la tête. Helen, elle l'avait rencontrée dès son arrivée ici, une femme jolie, joyeuse, déterminée, qui achevait son doctorat. Soutenance célèbre dans les annales du département. Un vieux bonze avait fait un commentaire ridicule à la jeune fille et celle-ci avait explosé de rire, un rire irrésistible qui s'était communiqué à l'auditoire, toute la salle s'était mise à rire, le vieux bonze était sorti, outré, il avait fallu s'excuser, le ramener dans la salle, faire semblant d'acquiescer à ses sornettes. Olga rit de bon cœur, et moi aussi, je vois certains visages, certains chercheurs qui se prennent pour Dieu le Père, ce serait si tentant de leur donner une petite leçon.

On comprend qu'elle n'ait pas voulu enseigner, Helen, elle s'est trouvé un poste dans la fonction publique, elle s'est mariée, a divorcé, puis a rencontré l'homme avec qui elle vit, le père de Jeremy qui ouvre justement son porte-monnaie pour payer sa deuxième bière en fût. Que connaît-il, lui, de sa mère ? À son âge, on ne se pose pas ces questions, on veut des amis, une fille dans son lit, on fait des études, on est tourné vers l'avenir. Dans dix ou vingt ans, des interrogations surgiront dans sa tête, mais il n'y aura plus qu'un nom gravé sur une pierre au cimetière. Quel enfant peut se targuer de tout savoir sur sa mère, est-ce qu'on ne lui invente pas toujours une vie ? Mais je pense comme une romancière, les gens sont tellement épris de vérité, surtout quand il s'agit de leurs origines. On a beau se colleter avec la fiction, trafiquer les faits à pleine page pour les rendre plausibles, on croit ce que nous a dit notre mère sans mettre en doute la moindre affirmation. Non seulement notre mère, mais nos amis, des connaissances, Olga, tiens, qui me dessine à gros traits le passé d'Helen avec une assurance sans faille. [Et je veux la croire, j'ai besoin de sentir une vérité, la vérité, comme ces médailles que nous portions au cou, enfants, pour nous protéger.]

Helen, c'était le modèle de la femme parfaite. Elle n'avait jamais aspiré une seule bouffée de cigarette, ne prenait un verre de vin qu'à Noël ou lors d'un mariage, elle s'était convertie au pain de blé entier bien avant la mode, mangeait des fruits, des légumes, du poisson, jamais de sucreries, elle allait à la piscine deux fois par semaine, jouait au tennis, s'adonnait à la marche en montagne. Et puis un moral d'acier, même quand sa petite s'était noyée dans la piscine. Pas de dépression, elle était retournée au travail deux semaines après les funérailles. La vie, disait-elle, devait continuer. Olga se met à rire, pas méchamment, non, seulement pour se libérer d'une tension trop forte, pour la connivence, le désir de partager son amitié pour Helen avec une inconnue qui repartira dans deux jours sans répéter autour d'elle ce qu'elle a entendu dans ce bar.

Me voici tout à fait réveillée, maintenant, je réponds *Yes* au garçon qui me demande si je prendrais une autre bière, et Olga commande un autre scotch, nous aurons les paupières épaisses demain matin, tant pis, ce ne sera pas la première fois que nous manquerons de sommeil. Nous nous sommes mises à nous tutoyer, nous avons franchi le seuil des confidences, nos prénoms résonnent maintenant dans la conversation, elle ne cache plus sa sensibilité, Olga, je la sens se détendre un peu plus à chacune de ses phrases, c'est si bon de pouvoir partager la tristesse, avoue-t-elle, celle de voir dépérir Helen, de savoir que dans quelques semaines elle ne sera plus là. Mais non pas uniquement cette peine-là, une autre aussi, pire encore, celle de voir à quel point Helen s'est épanouie ces derniers temps. Olga arrête brusquement, j'ai dû faire une drôle de moue, ai-je bien entendu ? Oui, reprend-elle en pesant bien ses mots, Helen a changé, pour le mieux, insiste-t-elle, elle prend une place qu'elle n'avait jamais prise jusqu'à présent, elle défend ses convictions, elle affirme ses goûts, elle a même commencé à manger du *fast food* pendant sa chimio. Olga sourit. Hier, Helen a demandé de la pizza, elle qui avait toujours refusé d'en préparer, même quand son fils le lui en réclamait le jour de son anniversaire.

Le sourire d'Olga s'affaisse peu à peu, j'aperçois une larme pudique au coin de son œil, je détourne le regard, me concentre sur un tableau connu accroché au mur, une reproduction d'un peintre dont je ne me rappelle plus le nom, encore une fois ma mémoire fait des siennes. *Avec le temps, on se déglingue*, dit mon médecin avec son cynisme.

Heureusement, je suis en santé, mais personne ne peut prédire l'avenir. Est-ce que moi je changerais si j'apprenais que je vais bientôt mourir ? *Pourquoi se permettre de vivre juste au moment de sa mort ?* murmure Olga, comme si elle entendait ma question. Nous ne poursuivons pas. Ce serait si facile, pourtant, toutes ces théories sur la somatisation. Et les confidences, cette amie, par exemple. Elle m'avait confié, quelques semaines avant son dernier souffle, que pour guérir il lui aurait fallu changer trop de choses dans sa vie. Comme si mourir la soulageait ! J'avais fait des cauchemars la nuit suivante et je m'étais réveillée avec un sentiment indéfinissable, effroi, compassion, désespoir. Se pouvait-il qu'une femme dans la force de l'âge se laisse aller ainsi ? Et moi, si je découvrais un jour que je dois changer de vie, est-ce que je m'en montrerais capable, je veux dire, encore capable, après tant de fins et de recommencements ? Je pense à cet homme, la cinquantaine avancée, qui n'avait pas eu le courage de quitter son Europe natale pour suivre ma sœur Édith, dont il était tombé follement amoureux. Je l'avais trouvé lâche, mais il fallait peut-être venir ici, dans ce bar perdu, pour peser le poids de mes paroles.

Je te confie des choses que je n'avoue pas à mes proches, dis-je à Olga, amusée. Nous rions d'un rire franc, c'est bon ! Je regarde ma montre, je ne serai pas à mon meilleur demain, mais qu'est-ce que j'en sais ? Peut-être ferai-je une très bonne présentation, *Il faut vivre*, dit Olga en se levant. *Ne pas attendre à l'article de la mort*. Voilà ce qu'a sans doute compris Jeremy, qui prend une autre bière. Olga le salue avant de pousser la lourde porte de bois. Au loin, les vagues font un bruit de verre quand elles se cassent sur les rochers. Mais même friable, c'est la mer, qui apaise. Il me semble que je pourrais recommencer ma vie ici. Je le dis à Olga, mais elle ne répond pas. Je n'attends pas de réponse, de toute façon, elle sait que je cherche seulement à me rassurer.

Le dé à coudre

Là, il est là, à quelques centimètres de vos yeux, sur l'étagère. Vous pointez l'index et le marchand fait glisser le verre, il le dépose dans vos mains, ce dé à coudre, lourd, tout en argent, finement ciselé, avec une petite pierre bleue dont vous ignorez le nom. Il vous le faut, ce dé magnifique, et vous êtes capable de marchander. Comme dans le souk de Tunis, quand vous avez obtenu cette djellaba que vous aimez tant.

You have a collection ? vous demande un Britannique que vous connaissez à peine, et vous répondez, absente, *No, but my mother has one.* Vous n'ajoutez rien, déjà à votre négoce, vous ne lui dites pas que cette collection, c'est vous qui la lui avez montée, au hasard de vos déplacements. D'abord ce dé de porcelaine, plutôt banal, que vous lui avez acheté à Paris, puis un deuxième à Washington, puis d'autres à Venise, à Seattle, à Athènes, et où encore ? Bruxelles, oui, puis Puerto Vallarta, et votre fille s'est mise elle aussi à rapporter des dés à sa grand-mère. Elle a maintenant deux douzaines de pièces, votre mère, elle les place bien en vue, sur la première étagère de son armoire vitrée, devant les tasses de fantaisie et les bibelots anciens.

Mais comme celui-ci, jamais vous n'en avez vu. Le luxe délicieusement baroque des bijoux orientaux que vous remarquez chez les femmes, dans les quartiers bien nantis de Marrakech. Votre mère, elle a porté au doigt plus de dés que de bagues, des dés de couturière, en mauvais métal, mais utiles pourtant lorsqu'elle vous faisait des manteaux d'hiver dans de vieux manteaux donnés par des tantes. Il fallait d'abord défaire le vêtement, puis laver le lainage en l'étirant. Les soirs d'octobre, sous l'éclairage jaune, elle essayait de voir comment elle pourrait tailler le vêtement d'enfant dans le patron. *Étudier*, oui, voilà bien le mot qu'elle employait. Étudier, elle vous en a donné l'exemple durant toutes ces soirées d'automne où vous la voyiez penchée sur la table, les ciseaux à la main.

Marrakech. Ce nom, dans votre enfance, évoquait l'univers des contes, avec les lampes contenant des génies, et des voleurs emprisonnés derrière de lourdes pierres qui ne se déplaçaient que si on connaissait la formule. Vous n'aviez jamais pensé qu'à Marrakech des femmes cousaient, vous n'aviez jamais pensé que, dans votre vie, votre vie de vivante, vous marchanderiez là un dé d'argent. Vous n'aviez jamais pensé qu'un jour, vous seriez aux portes du désert, celui des nomades, ceux qui ne s'attachent pas aux lieux où ils s'installent, ceux qui apprennent très tôt à laisser derrière eux les paysages et les villes. Jamais pensé que, de voyage en voyage, vous vous éloigneriez un peu plus de cette femme que vous appelez encore *maman*.

Elle, c'est Paris, bien sûr, qu'elle aurait voulu voir de ses yeux. La tour Eiffel, les Champs-Élysées, la cathédrale Notre-Dame, elle les a longuement regardés dans des brochures que vous lui avez données. Parfois, quand vous lui rendez visite, il lui arrive de rêver à haute voix, elle est jeune encore, elle longe les quais de la Seine, puis voici le Louvre, et plus loin, les jardins des Tuileries, elle s'arrête à la terrasse d'un café, elle boit un verre de rouge. Derrière ces moments minuscules qui font les voyages, vous entendez toutes ces phrases qu'elle n'ose pas dire, elle appartient à la communauté des gens qui prennent des vacances, elle est une femme choyée.

Il y a quelques années, vous avez voulu l'emmener à Paris avec vous, mais elle a refusé, elle avait atteint l'âge où les rêves ne peuvent plus reluquer du côté de la réalité. Vous avez insisté, pour la forme, mais sa décision était irrévocable, vous le sentiez, et tout au fond de vous, malgré vos vieilles nostalgies, peut-être préfériez-vous continuer sans elle vos voyages, allez donc savoir après tout ce que vraiment vous désirez.

Cent cinquante dirhams, c'est trop cher. Vous prononcez ces mots l'air très sûre de vous, comme s'il s'agissait de votre honneur. Le vendeur s'attend à ce que vous marchandiez, cela vous l'avez appris, alors vous guettez la réaction, *Combien tu veux payer ?* Vous avancez un prix, *Quatre-vingt-dix dirhams*, et lui propose cent quarante, vous vous entendrez sur cent dix ou cent vingt dirhams. Vous vous entendrez, il veut vendre et vous, vous voulez acheter. Il vous le faut, ce dé.

Il est à vous. Bien à vous. Vous rentrez à l'hôtel de votre pas sautillant de petite fille, les jours de remise du bulletin, alors que vous étiez arrivée la première. Maman sourirait en examinant le carnet jaune pâle. Vos belles notes, elle les méritait, comme ce dé magnifique, avec cette petite boule bleue qui n'est sans doute pas une vraie pierre.

Vous saluez le portier en franchissant le seuil de l'hôtel, un homme qui ne doit pas gagner gros, et cette seule pensée ramène les ombres du passé, l'emploi mal rémunéré de votre père, les problèmes d'argent, la grisaille des années grises. Tandis que vous montez l'escalier, le dé d'argent ne pèse plus aussi lourd au fond de votre sac, et la mère de votre enfance n'est qu'une femme de plus dans l'humanité qui essaie chaque jour de défier une pauvreté qu'on ne peut pas appeler misère.

Vous déposez le petit dé sur la table de verre, près du lit. Là, hors de son étagère, il semble nu, attristé, incapable de voler le feu aux dieux tout-puissants. Vous vous asseyez, vous vous sentez ridicule. Pourquoi avoir acheté cet objet insignifiant ? Vous le rapporterez tout de même dans vos bagages, vous l'offrirez à votre mère, vous lui raconterez votre voyage, elle ne demande pas davantage maintenant. Et vous ne pouvez pas effacer la vie vécue, vous avez renoncé à la magie des contes.

Vous le lui rapporterez, ce rien, pour vous faire pardonner.

Survenant

J'ai arrêté le moteur de la voiture et je suis sortie, avec mon panier de bleuets. Les rideaux de la maison étaient encore tirés, pas un bruit, le calme plat, absolu, la radio ne jouait pas ses rengaines habituelles. J'ai frappé, frappé plus fort encore, aucune réponse. Où pouvait bien être Mme Robitaille ? Pas très loin sans doute, chez une voisine ou chez la coiffeuse, on ne peut pas aller bien loin dans ce village.

J'avais déjà redescendu l'escalier quand une voix enrouée a crié. Je me suis retournée. Une femme d'un âge incertain m'a fait un signe et j'ai remonté les marches, le cœur battant. J'ai trouvé Mme Robitaille écrasée dans un fauteuil fleuri, en robe de chambre d'un autre fleuri. J'ai dû pâlir parce que la femme a aussitôt cherché à me rassurer, Mme Robitaille allait bien, elle allait bien, oui, seulement elle venait d'avoir un choc. Le matin même, on avait retrouvé Virginie sans vie dans son appartement. Meurtre crapuleux. Qui ? comment ? pourquoi ? toutes les questions surgissaient en même temps, mais les mots ne parvenaient pas à franchir mes lèvres. Je me suis réfugiée dans les fleurs de l'autre fauteuil.

Quand j'étais arrivée avec un panier de framboises, le samedi précédent, Virginie était assise dans la cuisine. Brune, autour de la trentaine, comptable dans une grande entreprise de la ville la plus proche, m'a-t-elle dit, une jeune femme comme il y en a des milliers. Elle était au village pour l'anniversaire de son père et en profitait pour venir saluer son ancienne gardienne. J'ai voulu vite m'esquiver, mais Mme Robitaille m'a retenue, n'étais-je pas une amie de son fils, celle qui avait loué pour l'été la vieille maison familiale, dans le cinquième rang ? J'aurais préféré le mot *collaboratrice*, mais je ne voulais pas la contredire. Et puis le mot *amie* a un éventail assez large pour servir en toute circonstance, ce n'était pas le moment de montrer mes scrupules de traductrice. J'ai acquiescé, j'étais bien une amie de Louis et la vieille femme a souri, comme si son fils lui-même avait quitté sa maison d'édition le temps d'une petite visite.

Je n'ai pas eu besoin de faire la conversation, Virginie parlait, sa vie, ses projets, ses vacances, ce nouveau copain rencontré grâce à un site Internet. Interloquée, Mme Robitaille s'était mise à poser question après question, elle qui avait rencontré son défunt Gérard chez des voisins. Tout avait changé en soixante ans, l'amour y compris : amants multiples, contraception, divorces, que deviendrait le couple dans deux générations ? Virginie lui avait répondu de façon subtile, intelligente, elle me plaisait, décidément, j'avais pris un thé avec elle, ravie de faire sa connaissance, moi qui passais mes journées devant mon ordinateur.

Mme Robitaille s'est mise à pleurer et la femme, Mathilde, ai-je appris, a essayé de l'apaiser. J'ai fini par connaître certains faits. Le matin même, Virginie avait été retrouvée sous son matelas. Elle était là depuis quelques jours mais, pour en savoir plus, il fallait attendre l'enquête, l'autopsie, les empreintes digitales, tout ce qu'on voit à la télévision dans les films de série B. Encore aucun suspect sous les verrous. *Quelle idée de choisir un amoureux par Internet !*, a lancé Mme Robitaille, et j'ai eu honte, l'idée m'avait effleurée moi aussi, mais je l'avais aussitôt repoussée. Je devais vieillir, assurément, j'oubliais que, du temps de ma jeunesse, les filles ramenaient dans leur lit des garçons rencontrés dans des bars sans même connaître leur prénom et aucune d'entre elles n'avait jamais été assassinée. Le meurtrier de Virginie pouvait être un vendeur itinérant, un cambrioleur, un ancien amant, un voisin, le propriétaire, ne dit-on pas que, la plupart du temps, les femmes connaissent leur agresseur ?

Ce n'était pas le moment de contrarier Mme Robitaille pourtant, j'ai plutôt essayé de la convaincre de venir terminer la journée avec nous, dans la maison de son enfance. Sans doute n'avait-elle pas envie de voir remonter de vieux souvenirs, elle préférait rester au village, elle irait chez Mathilde, cette cousine qui était aussi, par alliance, la tante de Virginie. Je suis repartie, à la fois soulagée et angoissée de me retrouver seule sur la route.

Je suis arrivée à la maison sans me demander pourquoi Mark s'était précipité dehors aussitôt qu'il avait entendu le ronron des roues sur le gravier. Il était inquiet, n'avais-je pas vu l'heure ? j'aurais pu lui téléphoner, à quoi servait le cellulaire, sinon à le prévenir en cas de retard, précisément ? Curieusement, sa colère me rassurait, quelqu'un tenait à moi, quelqu'un m'aimait dans ce monde de plus en plus violent, Mark me ferait rechercher si je disparaissais. J'ai enfin flanché, je me suis mise à sangloter.

Je n'ai pas réussi à traduire un seul paragraphe qui en vaille la peine de tout l'après-midi. Les mots restaient enfermés en eux-mêmes, les noms n'arrivaient pas à établir des liens avec les verbes, aucun mouvement, aucun rythme dans les phrases, elles me regardaient, terrifiées, puis s'effaçaient devant le masque mortuaire de Virginie. Je me levais, j'allais me bercer sur la galerie blanche qui entoure la maison, rassurée par le craquement du bois, je fermais

les yeux et j'écoutais le frémissement des arbres en essayant de les nommer, comme pour m'ancrer dans la réalité. Tout allait bien, tout allait. Il suffisait cependant qu'un
détraqué me suive et me mette le couteau sous la gorge au
moment de tourner la clé dans la serrure, c'était arrivé à
une amie récemment, elle s'en était tirée avec un sang-froid
admirable, mais peut-on blâmer toutes celles qui n'ont pas
le même sens de la survie ? Virginie, elle, n'avait sans doute
eu aucune chance, ni de parler, ni de crier, ni de donner des
coups.

Je me suis mise à trembler. Était-il prudent de rester ici,
au fond de ce rang perdu ? La semaine précédente, Mark
était allé rencontrer l'auteur qu'il traduisait. J'avais passé la
nuit seule sans ressentir la moindre frayeur. Mais si Mark
devait retourner à Montréal, c'était décidé, je l'accompa-
gnerais. D'ailleurs, en rentrant, Mark avait proposé de
réserver la maison de campagne pour l'été suivant, on
mourait de chaleur à la ville et, avec le réchauffement de la
planète, la canicule serait pire d'année en année. J'avais
acquiescé, et pourtant je ne savais plus si j'étais toujours
d'accord.

Mark est venu me rejoindre, lui non plus n'arrivait pas
à travailler. Le chat gris que nous nourrissions depuis le
début des vacances est venu se frôler contre ma jambe, puis
il a sauté sur moi et je me suis sentie apaisée. Cette créature
errante, sans nom, me permettait de croire encore un peu à
la douceur du monde, j'ai oublié la question qui me tarau-
dait depuis mon enfance, la question du mal. Je ne m'étais
jamais demandé qui nous étions, d'où nous venions et où
nous allions. J'étais une femme, je venais du ventre d'une
autre femme qui retournerait un jour à la terre et je la
suivrais là, tout simplement, c'est ce que j'avais répondu
dans un cours de philosophie à l'université, au profond
mépris de mes compagnons. Mais pour le mal, je n'avais

aucune réponse. Deux mains qui enserrent le cou d'une femme jusqu'à ce qu'elle ne puisse plus respirer, une cruauté comme celle-là, je ne comprenais pas. De toute façon, j'avais eu beau lire des livres et des livres, je n'étais jamais arrivée à comprendre le labyrinthe de l'âme humaine. Et plus la vie passait, plus des faits divers comme celui-là m'atteignaient, quel serait mon indice de fragilité à l'âge de Mme Robitaille?

J'ai proposé qu'on ramène le chat à la maison en septembre, on ne pouvait pas l'abandonner, il s'habituerait à l'air pollué de la ville, comme nous. Je m'en occuperais, je le promettais, et Mark a souri, il avait déjà adopté le chat, c'était évident. Il a suggéré de l'appeler *Survenant*. Je me suis aussitôt demandé si Virginie avait un chat, elle aussi, et les larmes ont recommencé à tomber, en rangs serrés, sur mes joues. J'avais beau vouloir sauver un chat sur la Terre, cela n'enrayait pas pour autant l'immensité du malheur.

Survenant s'est mis à ronronner. J'ai retrouvé un peu de courage, il fallait bouger, s'occuper de soi et des autres, chaque jour ne nous fournit-il pas sa dose de désespoir? J'ai déposé Survenant par terre et je me suis levée, je redevenais un être vertical capable d'entreprendre les gestes du soir : préparer une vinaigrette, laver la salade, la touiller, mettre une nappe sur la table, des couverts, mastiquer, ranger la cuisine avec Mark, faire ma toilette, attendre le sommeil.

Au réveil, j'avais la tête aussi sale que si j'avais vidé une bouteille de cognac. Mais une guirlande de sons s'est enroulée autour de mon oreille puis, pendant deux mesures, elle s'est interrompue pour reprendre aussitôt, comme scandée par un chronomètre. Un chant d'oiseau, le jour cherchait un premier appui. Je me suis collée contre Mark, son odeur poivrée. Ce matin, j'irais au village prendre des nouvelles de Mme Robitaille, peut-être aurait-elle des précisions sur la mort de Virginie. Je réserverais aussi la maison pour l'été prochain, la vieille dame ne demanderait pas mieux, son fils non plus.

J'ai entendu Survenant. Il grattait à la porte, il avait passé la nuit dans les champs, il avait faim. Je me suis levée, il fallait aller le nourrir.

L'Étoile

Du bout de ses doigts jaunis, elle a écrasé sa cigarette dans un cendrier de verre soufflé. J'essayais de ne pas prêter attention à son allure de fausse gitane afin de réprimer un insupportable malaise. Comment pouvais-je me retrouver ici, devant cette cartomancienne qui, m'avait promis Dominique, me dirait tout sur mon avenir ? Le désarroi, il y a de ces périodes traversées par le désarroi, et l'on ressent le besoin de se faire rassurer, le bonheur reviendra, de nouveau ce sera l'été. Il y a des moments où notre naïveté ne connaît pas de bornes.

Je vois pour vous une vie plus belle. J'ai failli répondre *Difficile d'imaginer pire*, mais je me suis retenue, j'étais venue, il fallait jouer le jeu. J'ai simplement prononcé, d'un timbre de voix un peu trop léger, *La dolce vita*. Le visage de la femme s'est éclairé, elle a baissé les paupières et s'est mise à parler dans une langue sonore, musicale, où je pouvais reconnaître l'expression *dolce, dolce vita*. Pour lui rappeler que j'étais toujours là, j'ai demandé *Vous croyez en une vie douce ?* Elle a tourné la tête vers moi, interdite, m'a regardée droit dans les yeux, en faisant une moue triste. *Pour vous, oui.* J'ai insisté, *Et pour vous ?* En prenant les cartes, elle a murmuré *Dans ma vie à moi, il n'y a aucune place pour le futur.* Les veines de ses mains semblaient aussi dures que des cordes, je venais à peine de le remarquer et ne pouvais en détacher mon regard pendant qu'elle brassait les cartes. Quel âge avait cette femme? La soixantaine sans doute, la soixantaine avancée. Est-ce que moi j'aurais l'impression d'avoir encore un avenir à cet âge?

La lumière de fin d'après-midi arrivait jusqu'à la table après avoir traversé un fatras de plantes et de bibelots. Bizarrement, je me sentais de mieux en mieux auprès de cette femme qui avait étalé le tarot sur la table et s'était mise à me prédire des bonheurs farfelus. Pour lui montrer que je n'étais pas dupe, j'ai avancé la main vers la Maison-Dieu et j'ai dit, *Dolce vita*? Elle s'est tue, consciente de mon incrédulité. Impassible, elle a gardé le silence quelques minutes. Je me sentais comme une fillette prise en faute, elle essayait de gagner sa vie comme elle le pouvait, devait-elle faire des ménages à son âge? Elle en avait assez de moi, elle avait raison, depuis quelque temps je me trouvais insupportable. J'allais me lever pour partir quand elle a articulé *Le malheur est fini. Votre vie est gouvernée par l'Étoile, voyez, mais vous n'avez pas confiance en moi.*

L'envie soudaine de me mettre à hurler. Comment pouvait-elle espérer que je la croie alors qu'autour de moi s'additionnaient les mauvaises nouvelles, maladies, dépressions, ruptures, et cette amie qui venait de faire une tentative de suicide, un monde que nous n'avions pas soupçonné à l'adolescence, *L'ordre de la catastrophe*, avais-je confié à Dominique un soir où nous avions pris un verre de trop. Sur ma joue, j'ai écrasé une larme. La femme a continué, comme si elle n'avait pas vu mon geste, *Beaucoup de sérénité, beaucoup d'amour.*

Je lui ai dit d'arrêter, de plus en plus irritée. Visiblement agacée elle aussi, elle m'a demandé, *Alors pourquoi êtes-vous venue?* Là était bien le problème, qu'est-ce que je faisais devant elle? J'ai sorti mon porte-monnaie en m'excusant, mais elle a mis sa main noueuse sur la mienne. *Non, ne payez pas si vous ne me croyez pas.* Puis elle m'a offert de prendre le thé avec elle.

Les feuilles d'érable arrivaient jusqu'à nous sur le balcon. Dans quelques jours, ce serait juin, enfin, l'air se faisait enveloppant, nous avions eu un printemps si dur que nous n'attendions plus la chaleur, et voilà que la ville recommençait à respirer, elle revivait, elle bruissait. Je sirotais mon thé en silence, je me détendais auprès de cette femme inconnue et pourtant familière. Sans tourner les yeux vers elle, j'ai affirmé *Je tiens à vous payer. Pour l'espoir.*

Le monde vidé

Ici, c'est l'endroit où la mer abandonne, lasse de se traîner sur les galets. Pendant plusieurs heures, elle avance, elle menace de vous engloutir, puis elle s'arrête, hésite, on dirait, et lentement se retire, avec son froissement de vagues grises, réglées comme une horloge. Le mécanisme ne se détraque jamais, personne ne s'inquiète. À l'hôtel, la vie se vit jour après jour, selon le même horaire. Le lever, le petit-déjeuner, et la plage, puis le déjeuner, le soleil encore, et le dîner dans la salle à manger aux nappes roses, les plats raffinés, cette vie de vacances qu'on envie aux personnages, dans les films. Parfois une conversation polie, près du piano, avec quelqu'un qui vous est indifférent, ensuite vous n'en apprécierez que mieux le silence.

Il ne vous restera rien de votre séjour, sinon un bronzage doré et quelques colifichets que vous aurez achetés pour ne pas rentrer les mains vides. Toujours vous revenez à cet endroit, et vous demandez la chambre trois cent quatorze, avec ce balcon donnant sur la mer. Passer des journées entières à écouter le ressac comme vous iriez au concert, vous n'en désirez pas plus. Cette année, pourtant, vous ne vous êtes pas laissé envoûter, la mer est inutile, d'un gris de ferraille, qui ne vous atteint pas. Vous n'arrivez pas à comprendre, avoir fait des milliers de kilomètres pour vous retrouver face à votre propre insensibilité.

Autour, le monde vidé. Vous devriez peut-être vous décider à louer une jeep et, avec un guide, vous pourriez suivre
la route vers le sud, puis piquer dans les terres, vers
Tombouctou. Peut-être le désert. Mais vous n'en faites rien,
vous vous contentez de prendre un livre, vous vous
contentez de rêver.

Au loin, les pêcheurs se dirigent vers le port dans leurs
embarcations miséreuses. Vous les avez vus de près, hier,
lors d'une excursion touristique. Des hommes et des
garçons qui réparaient des filets, amarrés dans le port, ils
attendaient le soir pour reprendre la mer. Ils forment deux
équipes, vous a expliqué le guide, une de jour et l'autre de
nuit. Pour la première fois, la mer vous a paru une usine
immense, où les ouvriers pointent avant de s'engouffrer.
Vous avez vu votre père partir à son travail. Il reviendrait
le matin, et votre mère vous demanderait d'être sage pour
le laisser dormir.

Là d'où vous venez, la montagne, des lacs assez vastes
pour qu'on s'y perde, mais pas de mer. La mer, c'est pour
les habitants de la côte, ceux qui ne semblent pas du même
pays que le vôtre, des gens au visage raviné que vous
entendez parfois, à la télévision, avec leur accent chantant.
Ils parlent de pêche eux aussi et vous les écoutez attentive-
ment, comme ces oncles qui rendaient visite à vos parents,
les hivers de votre enfance, quand la récolte était enfin
dans les granges. Polie, vous étiez une enfant polie, juste
assez présente pour ponctuer la conversation des quelques
signes de tête qui convenaient. Vous étiez une enfant de la
ville, avec les rues bruyantes, les klaxons qui vous déchiraient les oreilles, les garçons du collège que vous vous
arrangiez pour croiser au cinéma. Un jour, vous aimeriez.
Un jour, vous troqueriez votre ville contre une autre ville.

Quand avez-vous voulu voyager? Vous ne vous en
souvenez pas. La chose s'était faite, simplement. Il avait

loué une auto pour le bout du monde, et vous l'aviez suivi, en amoureuse. Vous avez connu le défilé des villages le long des routes, la douane, la végétation qui de jour en jour devient plus exubérante, vous avez connu la mer. C'est là qu'il vous a dit qu'il vous aimait. Ce soir-là, il est sorti, sous un prétexte quelconque, et il n'est pas rentré. Le lendemain, vous avez averti la police, dans votre mauvais anglais, et vous avez attendu. On vous a convaincue de reprendre la route. Tôt ou tard, il faudrait repartir.

À la hauteur de New York, vous avez appris que la mer avait recraché le corps. Qu'est-ce qu'on vous a dit d'autre? Aucune mémoire, les mots se sont frappés à un mur dans votre tête. En sortant du poste de police, il ne vous restait qu'une image, celle de votre amoureux, sur la plage, la peau déjà rongée, pourrie. Vous vous êtes réinstallée au volant et vous avez roulé toute la nuit, en écoutant du blues, jusqu'à ce que l'auto s'arrête devant votre porte. Vous avez téléphoné à l'agence de location pour qu'on vienne la chercher. Vous n'avez jamais conduit depuis.

Ici, c'est toujours l'Atlantique, mais vous l'observez à partir d'un autre continent, comme si cela devait vous aider à comprendre ce que vous ne comprendrez jamais. Le mot *suicide*, vous l'avez banni de votre vocabulaire, vous dites plutôt *décès*, du bout des lèvres, quand il vous arrive de parler de lui. Jamais vous ne précisez. À un nouvel amant, vous racontez votre premier voyage, avec Bernard, un copain. Puis vous changez de sujet, scandales politiques, détails insignifiants de votre enfance, l'enfance n'est-elle pas une source inépuisable de tendresse quand le présent à lui seul n'a pas assez de poids?

Bien sûr, il y a eu d'autres hommes. Vous avez visité des îles de légende, où les héros, ensorcelés par des magiciennes, se laissaient aimer pendant des décennies. Vous avez connu les eaux habitées par les sirènes, vous

avez rêvé de l'Asie à partir de la Crète, avant que vous ne
découvriez cette ville dévastée où vous revenez, maintenant chaque année, dans le même hôtel, chambre trois cent
quatorze. Pendant deux semaines, vous restez là, à regarder monter et descendre la marée, comme si elle bougeait
à l'intérieur de vos veines. Puis vous repartez.

Cette année encore, vous êtes venue seule. Défi, désir
de vous retrouver face à vous-même, vous n'en savez rien,
votre nouvel amant vous a laissée partir avec la promesse
que vous prendriez ensuite des vacances ensemble. Vous
iriez le rejoindre à Casablanca, vous parcourriez le pays
vers le nord-est, jusqu'à l'autre mer. Vous avez acquiescé,
vous acquiescez à tout ce qu'il suggère, comme si le fait de
dire non vous mettait en danger.

C'est arrivé avec la mort de votre frère. Bernard, l'aîné.
Un matin, le téléphone vous a réveillée. Un autre faux
numéro, vous êtes-vous dit, irritée, mais vous avez tout de
suite reconnu la voix de votre sœur. Puis vous avez entendu
votre mère pleurer, en s'accusant, et vous avez enregistré
machinalement les mots qu'on vous lançait, *ambulance*,
constat de décès, *funérailles*. Dans quelques heures, vous
seriez là, le temps de ramasser vos affaires. Vous prendriez
le train de quatorze heures. Vêtements, livres, crayons,
photographies d'enfance, vous avez tout entassé pêle-mêle
dans votre valise, et puis la carte que votre frère vous avait
fait parvenir pour votre dernier anniversaire, comme si
vous aviez besoin de preuves concrètes de son existence.

Jamais trajet ne vous a semblé aussi court. Vous n'avez
pas lu pourtant, vous n'avez pas bavardé avec votre voisin
de banquette, vous vous êtes accrochée au paysage, et vous
vous êtes laissé porter par l'étrangeté des décors qui défi-
laient devant vos yeux, ici un arbre trop vert pour la saison,
ou cette auberge luxueuse peinte d'un rose criard. Les lieux
pourtant familiers étaient devenus ce ramassis de choses

affreuses que vous n'aviez jamais remarquées. Rien n'abolit l'espace comme la laideur, car elle n'offre aucune continuité, il suffit d'un nez trop long dans un visage, d'un escalier qui s'accorde mal avec la façade d'une demeure, d'une vache mal tachetée dans un champ pour que soit brisée une image. Seul subsiste le détail choquant. Cette réflexion, pourtant, vous vous la feriez plus tard, assise sur votre balcon, devant la mer. Il n'y a que la mer qui ne peut être laide, elle ne se laisse jamais contenir dans un cadre. Que la mer, mouvante, changeante, grandiose malgré la pauvreté de ses barques.

Cette fois, vous n'avez pas eu à attendre, vous avez tout de suite su la vérité. Votre frère avait été découvert, attaché à une poutre, dans la penderie du couloir. Dès lors commencerait la longue litanie des hypothèses, une peine d'amour, une maladie cachée, des problèmes financiers, la dépression. Votre mère meublerait les heures et vous acquiesceriez pour éviter l'insupportable silence. Vous, vous n'essaieriez pas de comprendre, ce n'était pas votre fils après tout.

Cette nuit-là, vous avez rêvé que votre frère vous souriait, du haut de son ciel, et s'approchait de vous, avec des gestes d'amant. Pourtant, le suicide de votre frère aîné n'avait rien de commun avec celui de l'autre Bernard, il vous rejoignait dans vos fibres les plus anciennes, les rires étouffés quand on se réveillait avant les parents le matin, les disputes autour de la table après une journée au terrain de jeu, le plaisir du conte que lisait maman, le soir, pour faire venir le sommeil. Votre frère avait emporté avec lui votre enfance. Devant vous s'ouvrait le présent sans passé, l'immense trou du présent qu'il faudrait désormais boucher, jour après jour.

Vous avez été parfaite aux funérailles. Puis vous avez repris le travail, vous avez continué à écouter votre mère,

qu'est-ce qu'elle aurait pu faire pour éviter l'imprévisible ?
Vous restiez là, toujours sans réponse, vous aviez rejoint la
multitude de ceux qui ne cherchent pas de mobiles aux
actes, la multitude des incroyants. On survit même sans
croire. Tout de même, il y a le désir. Il resurgit dans un
moment d'inattention, alors qu'on se retourne pour admirer la vitrine d'une librairie. Ou au musée, devant une toile
qu'on aurait voulu peindre. Vous acceptez de prendre un
café, pourquoi pas ? et vous vous retrouvez au cinéma, à
côté d'un homme. Qu'importe s'il s'appelle Bernard, vous
ne pouvez pas lui demander de changer de prénom.

Justement, il vous a téléphoné. Sa voix enjouée recou-
vrait le ressac tandis qu'il vous susurrait des mots d'amour,
et le lit, tout à coup, a rempli toute la chambre. Vous vous
êtes demandé pourquoi vous aviez tant tenu à transporter
ici votre solitude. Vous vous êtes plongée dans un guide
touristique et, sur votre balcon, vous avez parcouru les
pages longues où apparaissent, en caractères gras, des
noms de villes, Rabat, Meknès, Marrakech avec ses tireuses
de cartes et ses charmeurs de serpents, pourquoi n'être
jamais allée à Marrakech ? Une voix, la voix de Bernard, et
le monde avait pivoté sur lui-même, il laissait surgir la
mémoire de tous les lieux vivants. C'est peut-être ce qu'on
appelle la consolation. Comme chaque jour, la mer finirait
bien par rentrer dans ses eaux.

Cette nuit, sans doute, vous rêverez de bateaux brisés
par les tentacules d'un monstre, vous vous débattrez sans
être capable de pousser un cri, vous ouvrirez les yeux, la
peau couverte de sueur, et vous oublierez quelle femme
vous étiez quelques heures plus tôt, sous le dernier soleil.
De nouveau, vous chercherez un peu d'eau pour les lèvres
et puis le bruit de la mer pour tenir tête à la peur. La nuit,
il n'y a pas de rédemption. Seule cette présence que vous
ne pouvez pas nommer, sauf parfois par des images, cette

chose qui prend toute la place dans la poitrine, ou le corps qui s'affaisse à l'intérieur du corps jusqu'à vous annuler. Mais est-ce assez pour vous interdire d'explorer les pays dont la langue résonne à vos oreilles comme l'écho d'une musique inconnue ?

À la réception, on s'inquiétera. Vous accepterez de répondre gentiment aux questions. Non, il n'y a personne de malade dans votre famille, vous vous plaisez beaucoup à l'hôtel, la chambre est aussi agréable que les années précédentes, la nourriture excellente, vraiment. Alors pourquoi partir avant la fin de votre séjour ? On insistera. Pour en finir, vous parlerez, à voix basse, de cet ami qui viendra vous rejoindre à Casablanca. Les sourires réapparaîtront sur les visages, vous deviendrez une femme comme les autres, celles qui se marient, donnent naissance à des enfants. On apportera vos bagages jusqu'au taxi, on vous souhaitera tout le bonheur du monde. On voudra vous accueillir, l'été prochain, avec votre fiancé. Vous remercierez, vous promettrez. Mais vous savez que vous ne reviendrez pas.

Histoire de poupée

Il la regarde comme si elle était encore une petite fille, quelque chose d'enfantin dans ses gestes, c'est ce qu'il lui a dit, il y a quelques minutes à peine, quand elle a posé sa main bien à plat sur le verre pour qu'il ne lui verse plus de vin. La tête, déjà, surtout ne pas donner l'impression qu'un peu d'alcool lui suffit pour... mais pour quoi au juste, comment être sûre des intentions de cet homme qui, depuis tout à l'heure, lui fait la conversation d'une façon amicale ? Elle s'attendait à la grande scène, elle sait qu'elle lui plaît, il l'avait dit devant elle à un collègue, très clairement, pour qu'elle entende. Elle se souvient avoir baissé les paupières, certains hommes expriment si facilement leur désir qu'elle en reste parfois déroutée, enfant sans doute dans ce domaine-là aussi.

Deux ans presque avant de se retrouver ici, avec lui, dans ce restaurant du Chinatown, un petit endroit tout à fait sympathique, avait-il promis. Il lui a présenté la patronne, une femme qui s'exprime dans un français étonnant, on a échangé quelques mots, le sol ne se dérobait plus sous les pieds. On pouvait manger lentement, bavarder, sans avoir à se protéger. L'homme parle d'ailleurs de ses projets, on pourrait peut-être collaborer, l'interdisciplinarité maintenant, il prononce le mot en pinçant les lèvres pour la faire sourire, on pourrait collaborer, pourquoi pas? question de se revoir, de prolonger le moment.

Elle accepte un autre verre de vin, c'est même elle qui lui dit en riant *Il faudra peut-être que tu me ramènes.* Surprise elle-même de sa remarque, comment sera-t-elle interprétée? Mais elle se sent en confiance, cet homme n'est pas du genre à forcer l'intimité ni à noyer le repas sous les compliments d'usage, à peine a-t-il glissé tout à l'heure, dans une phrase banale, *Tu es belle,* comme une constatation qui relève de l'observation froide. Il aurait tout aussi bien pu lui demander de qui elle tient ces cheveux châtains. Oui, en confiance, la réserve s'est dissipée, la voici qui raconte un souvenir.

Pourquoi se livre-t-elle aussi facilement, elle le connaît à peine, pourquoi lui précisément, dans cet endroit peu propice à la confidence, les éclats de voix qui se mêlent au bruit des assiettes? Elle raconte et lui semble l'écouter, s'intéresse-t-il vraiment à cette anecdote de poupée cassée, elle jurerait que oui, ce détail prend tout à coup de l'importance, elle raconte en ménageant ses effets comme quelqu'un qui aurait l'habitude de la fiction. Il rit, l'événement a pris une épaisseur, il existe entre eux, elle rit avec lui. Il pose sa large main sur la sienne, content de la voir joyeuse, précise-t-il. Ce qui l'a frappé la première fois qu'il l'a aperçue, c'est sa tristesse.

Que répondre à cet homme? Et pourtant il attend une réponse, cette façon de plonger les yeux dans les siens. Elle bafouille, en dégageant sa main. Elle porte le regard au fond de la salle, fixe un point perdu, se rappelle l'homme qui s'était approché d'elle sur le quai du métro, il l'avait abordée cavalièrement, *Cette tristesse dans votre visage.* Elle était restée interdite, incapable de bouger, elle avait simplement articulé *Ça va, merci.* Un illuminé sans doute, elle l'aurait parié, il avait dans les yeux la béatitude des nouveaux convertis. Elle avait dû se ressaisir pour tourner les talons.

Comment fuir d'ici ? Elle pourrait se lever, prendre son sac, remercier son compagnon de cet agréable repas et sortir calmement. Elle sait pourtant qu'elle n'en fera rien. Se donner une contenance, reprendre la conversation où l'on en était, la réaction de son père, qu'est-ce que cette fillette qui casse sa poupée pour savoir comment les yeux se ferment ? Elle n'aurait plus de jouets, pas de sa part en tout cas. Mais le charme est rompu, son enfance après tout n'intéresse personne. Des restes comme tout le monde, de ces petits restes qui écorchent sans faire vraiment mal, d'autres femmes ont subi des blessures profondes, il n'y a qu'à ouvrir les yeux. Elle, elle n'a rien à raconter. Qu'attendait-elle de ce repas, pourquoi avoir accepté ?

Une larme sur sa joue et lui qui s'excuse, il a peut-être été maladroit. Elle hoche la tête, n'en parlons plus. Mais il insiste, comment lui faire comprendre qu'elle ne le laisse pas indifférent ? Coriace, celui-là, il lui faut gagner un peu de temps. Réagir, préserver son image. Jeune femme en pleine possession de ses moyens mange avec homme distingué. On aurait pu parler de la récession prévisible ou de la crise du logement, on aurait flirté un peu, rien de bien engageant, se prouver seulement qu'on plaît encore, on se serait embrassés en sortant du restaurant. On se téléphone bien sûr. Bien sûr.

Est-ce que tu éprouves le besoin de psychanalyser toutes les femmes que tu invites au restaurant ? Elle n'a pas réussi à contrôler la colère sourde qu'elle sentait monter. Elle prend une gorgée d'eau. De toute façon, le repas était déjà gâché, la relation était gâchée, les collaborations oubliées. Il s'agit simplement de patienter quelques minutes, la serveuse apporte les desserts. Il rompt le silence, *Rien n'est facile avec toi. Je ne prétends pas être une femme facile*, rétorque-t-elle, mais elle regrette son mauvais calembour, pourquoi avoir introduit la sexualité alors qu'on en était si loin ? Quelque chose de rassurant, sans doute, dans sa connaissance des hommes, une connivence qui se conclut dans le plaisir partagé. Mais elle se retrouve sans défense devant lui alors qu'il fouille ses yeux pour en extirper les secrets.

Des yeux de poupée cassée, dit-il alors que, ne pouvant plus supporter son regard, elle baisse les paupières. Tous les mots ont été prononcés, il ne reste qu'à partir. Elle n'aurait pas dû lui raconter cette anecdote de la poupée. Elle met son manteau avec des gestes brusques, il faut essayer de se reprendre, elle accepte qu'il la dépose chez elle. Le temps s'est gâté, s'empresse-t-il d'ajouter comme s'il soupçonnait qu'elle puisse changer d'avis. Mais elle lui sourit, surtout ne pas lui laisser une impression de fragilité.

Surpris par la pluie, les gens traversent la rue en courant, elle arrête son regard sur une fillette qui tient dans ses bras une vieille poupée, toute détrempée. Lui aussi voit. C'est à ce moment, elle le jurerait, qu'il la prend par le bras, *On se reverra ?* Elle fait signe que non, mais il semble n'avoir rien remarqué, il lui chuchote à l'oreille *Tu n'as rien à craindre de moi.*

Il referme sur elle la portière, s'installe au volant. La pluie veut cesser, on dirait, elle le lui fait remarquer. Il acquiesce. Il conduit doucement, comme pour ne pas la quitter, on est presque arrivés, voilà. Lui dire au revoir, ouvrir la portière, descendre, mais elle ne peut s'y résoudre, pourquoi ? elle ne sait pas, elle ignore pourquoi elle dit, d'un souffle court, *Je ne veux pas rentrer.*

La réunion

Elle pourrait habiter dans ma rue, je la croiserais lors de ma promenade du soir, ou à la pharmacie, ou encore au marché d'alimentation qui embaume les tropiques, dans l'interminable file à la caisse. Je casserais la glace, *Quel soleil splendide aujourd'hui !* Elle tournerait la tête vers moi, elle me regarderait, me regarderait enfin, je prendrais forme dans l'abîme de ses yeux, matérielle soudain, et elle me répondrait, sans l'esquisse d'un sourire, *Une belle journée, oui,* elle deviendrait une femme avec une voix, charriant dans son flot les restes d'une douleur endormie. Endormie ? Est-ce si sûr ? Il y a peut-être des soldats qui lui apparaissent au milieu d'une phrase, des odeurs de sang et de merde collées à leurs bottes, et les cris du père qu'on égorge.

Mais je dramatise, j'invente encore, adossée aux graffitis d'une colonne, en attendant le métro. Elle a dû naître ici, cette jeune femme, un père chauffeur de taxi, une mère qui s'arrache les yeux sous la lampe d'une mauvaise machine à coudre, pas le temps de s'apercevoir que la petite fille est seule, seule, enfermée dans son corps comme dans un de ces abris que les riches se faisaient construire pendant la guerre froide. Elle attend le métro elle aussi en faisant les cent pas, tous les jours à la même heure, avec la même écharpe, le même imperméable ample et sale malgré le mois de juin, les mêmes marmonnements entre les dents. Il me prend l'idée de m'approcher, lentement, pour ne pas l'effrayer, je m'approche, oui, d'une voix feutrée je lui adresse la parole et le miracle se produit, elle me répond.

Mais je n'ai jamais osé, et elle reste un personnage de fiction. Je peux continuer à me demander où elle va, tous les jours, au début de l'après-midi. Peut-être à un centre où l'on accueille des personnes comme elle, une sorte de refuge dirigé par une Église dont j'ignore le nom, une secte qui mêle les rites chrétiens et païens, il y a tant de sectes pour réconforter les immigrants. Une bonne journée, je pourrais la prendre en filature, je rêvais de devenir détective à l'adolescence. Je sortirais du métro sur ses talons, je la suivrais jusqu'au bout de la ville, s'il le fallait, mais je peux être tranquille, nous descendons toutes deux à la même station du centre-ville. Serait-elle inscrite à l'université? Impossible, selon moi, même si mon compagnon prétend que oui. Il faut la voir faire les cent pas dans son manteau sale qui dissimule les moindres traces du corps. Elle mange à sa faim pourtant, de bonnes épaules, les joues bien rondes, elle a d'ailleurs pris du poids ces derniers temps.

Le train. Nous nous y engouffrons, toutes deux, et je me laisse tomber sur le siège orange, juste devant celui où elle s'assoit, en guettant son regard. Elle s'obstine à ne pas me voir, elle ne voit personne, seule comme dans l'enfance, comme on peut l'être quand on a trop de mémoire. Mémoire de quoi? À peine ai-je le temps de me poser la question, distraite par un vieux couple qui se lève, le train entre dans une station, il ralentit, les portes s'ouvrent, crachant les vieillards sur le quai. Bras dessus, bras dessous, ils s'éloignent, à petits pas, ils tiennent tête au destin. Moi aussi à leur âge. Je souris, cette manie de m'imaginer en petite vieille depuis que ma fille attend un enfant. Ridicule ? Rien en tout cas pour me donner l'impression d'avoir toute la vie devant moi. Justement, une femme de mon âge entre dans le wagon avec une jeune femme, belle et brune, sa fille à n'en pas douter tellement elle lui ressemble, à tour de rôle elles amusent avec un hochet un bébé dans sa poussette, un petit garçon calme, affable, un enfant choyé.

Autour, nous avons tous les yeux rivés sur le petit Raphaël, la grand-mère vient de prononcer son prénom, il se met à rire aux éclats tandis que sa mère lui essuie la bave du menton, magique, un rire d'enfant, certains trouveraient la scène kitsch, tant pis pour eux, j'ai besoin de petits bonheurs, je deviens vulnérable en vieillissant, je me sens de plus en plus impuissante en parcourant les journaux le matin.

Raphaël regarde en jubilant le hochet qu'il a lancé par terre, je me penche pour le ramasser. Mon regard croise les yeux hagards de la jeune femme à l'imperméable, devant moi, puis elle tourne la tête vers l'enfant comme si elle ne comprenait pas tant de joie, d'amour, d'attention pour un être aussi insignifiant, oui, elle était laissée totalement à elle-même, enfant, j'en suis certaine maintenant. Me voici angoissée. Comment définir ce sentiment qui resurgit à la première occasion, comme si le moindre bonheur réveillait toutes les douleurs de la planète ? Mais c'est plutôt un sentiment d'injustice, quelque chose de plus dérangeant que la compassion, une aiguille qui perce la peau lentement, s'enfonce entre les côtes, se loge en plein cœur.

Je tends le hochet à la grand-mère, elle le prend en me remerciant, le bébé me fait un sourire irrésistible, la joie de nouveau, mon petit-fils aimera gazouiller lui aussi, et rire, et jouer, contre la misère universelle je ne peux rien, mais pour mon petit-fils, oui. À quoi bon se laisser aller au désespoir ? il faut agir, bouger, penser à l'avenir. La jeune mère remet maintenant le bonnet sur la tête du bébé qui se fâche, les femmes approchent la poussette de la porte, le train ralentit, je cherche le nom qui apparaîtra bientôt, j'ai complètement perdu la notion du temps. Deux stations seulement, je serai à l'heure pour ma réunion, j'ai hâte de laisser derrière moi la jeune femme, qui montre toujours des yeux vides.

Le conducteur ferme les portes du train, mais il les ouvre aussitôt, quel est l'imbécile qui s'amuse à les bloquer ? Les portes se referment, mais pour s'ouvrir encore, les moues de déception se multiplient, *Problème technique,* annonce le conducteur au micro, heureusement ce n'est pas un incident, comme on appelle les tentatives de suicide, il vaut mieux prendre mon mal en patience. Je sors un essai de mon sac, avec un peu de chance je ne serai pas trop en retard. J'essaie de m'absorber dans les réflexions d'un collègue sur l'avenir du roman. J'y arrive presque, j'entre peu à peu dans des considérations pointues sur la fiction et la réalité, j'oublie la jeune femme, le petit Raphaël, sa grand-mère, les problèmes de l'humanité.

Puis un bruit, lent et sec. Une passagère à côté de moi pousse un soupir de soulagement. Les portes du wagon se referment, petit tintement, on repart. Ma vue glisse sur la jeune femme, devant moi. Toujours immobile, les yeux hagards. Elle a enlevé son manteau, elle porte une robe de maternité. Hypnotisée, je la regarde. J'avais tout imaginé, tout, sauf ça. Ça. Je me demande si, dans deux stations, je serai capable de me secouer, de détacher les yeux de ce ventre, de ramasser mon sac, de sortir, d'aller discuter de nos affaires courantes à cette réunion.

II

Un rire

en souvenir de Louise Lefaivre

C'est une femelle. Vous ne pouvez pas détacher vos yeux des mamelles durcies qui n'auront jamais allaité. Trop jeune, la chienne, huit ou neuf mois tout au plus, même inerte le corps garde la grâce de l'enfance, comme chez les humains. Vous le pensez mais, à la différence de vos arrière-grands-mères, vous n'avez jamais perdu d'enfant. La seule petite morte que vous avez vue, c'était à Palerme, dans les catacombes des Capucins, une fillette embaumée selon des procédés interdits et qui souriait, dans son cercueil blanc, depuis bientôt cent ans. Vous n'en avez pas éprouvé de tristesse, la fillette donnait l'impression d'une poupée, déposée là, dans son berceau.

La chienne, elle, ressemble à la mort. La gueule ouverte sur des dents maigres, le poil jaune collé aux flancs, le corps qui se désarticule en se soulevant à chaque vague. La mer avance, la mer envahit, la mer crache ses déchets sur la plage, coquillages, algues moisies, bouteilles de coca-cola vides, chiens noyés ou tués à coups de galets, peut-être, comment savoir? Vous ignorerez toujours ce qui est arrivé à la petite chienne. Qu'est-ce que ça peut changer, au fond, dans votre vie? Mais vous voudriez trouver une cause, un motif, vous avez beau rêver la mer comme dans les chansonnettes, l'image du corps raidi ne vous lâchera pas.

Avant, il ne vous serait pas venu de pareilles pensées, ou alors elles vous effleuraient à peine, d'une aile distraite, et vous réussissiez à aussitôt les chasser. C'était la vie, lente et longue, que vous apercevez, sur la plage, chez les jeunes qui ne se protègent pas encore du soleil. Bien cachée sous votre parasol, vous appartenez déjà à un autre âge, c'est ainsi. Le temps passe si vite, vous vous êtes mise à comprendre cette phrase anodine, oui maintenant vous répétez des clichés. Il aura suffi d'un message, un soir, à l'écran de votre ordinateur pour que le temps fige dans les veines maintenant bleuâtres de vos mains. Vous avez copié l'adresse du salon funéraire, puis vous avez éteint, sans pleurer.

Vous vous y attendiez. C'est-à-dire, vous saviez que le moment approchait, comme pour les accouchements. Arriverait ce qui devait arriver. Tous les soirs, à l'écran de votre ordinateur, un nouveau message. Elle déclinait, tous les soirs un peu plus. Quelques jours auparavant, à l'hôpital, vous l'aviez à peine reconnue sous son masque à oxygène. Un visage de noyée, déjà. Heureusement, il y avait ses yeux, vifs encore, et la voix, détachée du corps malade, la voix qui calmement parlait des derniers arrangements. En dehors de vous-même, vous aussi, vous vous étiez surprise à approuver, de la musique, des témoignages, oui oui, cela convenait, pourquoi en douter ? Le besoin d'entendre résonner le mot *demain*, de penser un avenir où l'on sera présente même dans l'absence, l'espoir de continuer à vivre pour les autres jusqu'à leur mort à eux, sans doute en est-il ainsi, à la toute fin. Sans doute.

Pour l'instant, vous, vous n'en êtes pas là. Ce matin, la mer roule son écume sur le sable et vous l'observez, immobile sur votre chaise de plage, en vous laissant prendre à son rêve d'immortalité. Vous croiriez qu'elle est encore vivante, votre amie, vous entendez son rire, comme l'été dernier. Lors de vos vacances, lui aviez-vous envoyé une carte postale de Vienne ou de Prague ? Vous ne vous en souvenez pas. L'an dernier, ces détails n'avaient pas d'importance, vous ignoriez que tout était perdu. Ou peut-être ne vouliez-vous pas lire l'irrémédiable sur son visage.

Après, on se demande comment on aurait agi, si on avait su. Et puis, pour éviter les remords, on se dit que, si on était soi-même condamnée, on voudrait que les autres, autour, nous renvoient l'image d'une femme qui vivra. Oui, mieux vaut l'insouciance que la pitié, même bienveillante. D'ailleurs, ne vous a-t-on pas dit que, même à ses préparatifs funèbres, elle gardait espoir, comme ces mineurs emprisonnés sous terre qui avaient tenu dix-sept jours en buvant leur urine, vous vous souvenez à quel point cette histoire vous avait dégoûtée, enfant. Vous, vous vous seriez laissée mourir, aviez-vous affirmé. Et vous le croyez encore, il vous semble en effet que la vie n'enfonce pas ses racines si loin dans vos fibres. Mais qu'est-ce que vous en savez ? Ne voit-on pas des indifférents ou des désespérés qui, aux prises avec la maladie, éprouvent tout à coup un désir violent de se battre ?

Ce matin, une lumière magique. Laiteuse et lourde, un peu opaque, une lumière d'après les nuits d'orage. On a le goût d'y plonger, corps et âme, de dériver, de croire que la mort n'emporte pas tout avec elle, qu'elle nous laisse quelque chose de ceux que nous perdons. Une pensée, un amour, une protection. Ou simplement le souvenir d'un rire, un rire sonore et joyeux, comme son rire à elle.

Son dernier sourire, souvenez-vous. Elle était heureuse de vous voir, à l'hôpital, pour vous faire ses adieux. Et vous qui ne savez pas parler, vous vous étiez efforcée, pour une fois, c'était maintenant ou jamais. Vous aviez bien choisi vos mots, vous les aviez pesés avant de les déposer telles les fleurs pudiques et graves qu'apportent les femmes, le dimanche, dans les chapelles de marins. Des paroles discrètes, mais non moins ressenties. Elle le savait, ne vous a-t-elle pas répondu qu'elle regrettait que vous ne vous soyez pas rencontrées plus tôt ? Vous avez acquiescé, simplement, de la tête. À quoi bon ajouter des regrets aux regrets ?

Comme si elle s'était tenu les mêmes propos, elle a tourné les yeux vers la fenêtre, elle a suspendu son regard au soleil éblouissant du dimanche. La veille, elle avait demandé à sortir. On avait poussé le lit le long du corridor, puis dans le petit jardin de l'hôpital où elle voulait encore une fois admirer les buissons en fleurs. Elle partait, mais elle vous laissait d'elle cette image : une femme, déjà clouée au lit où elle quitterait sa vie, qui enlève un instant son masque pour humer l'odeur des roses. Et vous vous êtes dit qu'aux derniers moments, tout devait s'emmêler : la tristesse, les souvenirs joyeux, le parfum des fleurs et les ombres de la lumière sur la peau.

Vous contemplez la mer en pensant à ceux qui ne la contemplent plus, autour de vous. Vous pensez aux chroniques de décès que surveillent vos tantes, tous les matins, dans le journal. Un jour, vous aussi vous en serez là. Mais il vous reste encore bien des années. On meurt de vieillesse, dans votre famille. *De bons gènes*, vous a dit le médecin. Votre amie, elle, n'aura pas eu cette chance. Un peu plus, vous vous sentiriez coupable, mais qu'est-ce que vous y pouvez ?

Vous essayez de vous en convaincre, tandis que vous marchez vers le corps de la petite chienne après avoir longtemps hésité. Curieusement, il vous faut la revoir, une autre fois, affronter ce cadavre minuscule pour vous sentir capable d'entrer pleinement dans la journée qui commence. Hier, vous n'avez pas cessé d'y penser. Les mamelles raidies, les poils jaunes léchés par le sel : peut-être le corps aura-t-il commencé à se décomposer. On bien la mer l'aura repris, digéré, offert en sacrifice à quelque monstre sans nom. Mais vous rangez bien loin les légendes du Monde Ancien, vous êtes sur une île touristique aménagée pour des gens comme vous qui veulent oublier leurs soucis.

La mémoire pourtant ne vous offre pas de répit, elle vous suit, mais doucement, et vous ne fuyez pas, vous prenez le temps de vous arrêter. Ici, il n'y a que la mer, la mer qui adoucit les blessures, permet aux vivants et aux morts de se rencontrer. Si tu voyais comme la mer est belle ! Voilà ce qu'il vous vient, voilà ce que vous écririez à votre amie si elle pouvait vous lire, une phrase banale, mais la seule phrase assez vaste pour qu'on puisse l'emplir de tous ses océans à soi.

Vous êtes près du village maintenant, vous avez fait ce long trajet sans vous en rendre compte, et vous n'avez pas aperçu votre petite chienne. Vous êtes presque soulagée. Vous garderez d'elle une image intacte, épargnée. Mais vous voyez tout à coup surgir quatre jeunes chiens jaunes, identiques à la chienne, ils vous entourent en poussant des cris de joie puis, sans que vous sachiez pourquoi, ils détalent et se mettent à courir, à courir comme des fous vers un point invisible, à la rupture de l'horizon. S'ils avaient de la mémoire, peu leur importerait les concours : inutile de se précipiter quand la cinquième de la portée occupe déjà la première place. Mais ils ont oublié. Ou peut-être font-ils semblant de ne pas savoir.

Insomnie

Douleur. Non pas une douleur à vous fracasser le crâne, plutôt un malaise, feutré, lancinant, comme une lumière tamisée, qui, sans vous aveugler, vous empêche de vous assoupir. Je n'ai pas fermé l'œil de la nuit. Épuisée de me retourner dans mes draps, je suis allée me clouer devant la fenêtre pour attendre quoi? un ange, un fantôme, un miracle, une vision, un signe du ciel qui m'aurait permis de comprendre, oui, seulement ce mot, *comprendre*, on ne s'évanouit pas une belle journée sans laisser de traces, même les meurtriers les plus crapuleux donnent des indices. Elle, non. Rien. Rien d'anormal dans la maison, aucune trace de lutte. Aucun vêtement abandonné sur la rive, pas de lettre non plus.

Une semaine déjà. Un état de léthargie. Et l'insomnie. Je m'endors lourdement, puis le même cauchemar, toujours. Elle est là, à côté de moi, assise au bord du lit, cheveux défaits, chemise de nuit blanche, puis son souffle dans mon cou, et ses mains autour de ma gorge, je n'arrive plus à respirer, je me réveille en hurlant. Je me lève, descends en chancelant le long escalier de bois, je me plante près de la fenêtre et me laisse bercer par le bruit rassurant des flots. Il n'y a que les flots qui puissent m'apaiser.

J'ai refusé de rentrer à Québec avec Paul, hier, malgré ses supplications. Mon cœur est ici, et mes tripes, et ma vie.

Pour l'instant. Ça ne durera pas éternellement, cette folie, je retrouverai mes esprits, on finira bien par apprendre quelque chose, le fleuve recrachera le corps un bon matin, un marcheur le trouvera dans la forêt, ou bien Madeleine ressuscitera comme elle a disparu, tout sourire, *C'est moi, comment vas-tu ?* Elle est peut-être partie, simplement, coup de tête, geste de colère contre moi ou contre Paul, ce n'est pas la première fois. Elle s'évanouit comme les génies des contes, mais au bout de quelques jours, un téléphone, une carte postale, on a fini par s'y faire, Paul et moi.

Je mens, on ne s'y fait pas. Pas moi, pas cette fois, en tout cas, comment peut-on quitter une maison perdue dans la forêt quand on n'a ni auto ni moto ? Elle a plus d'un tour dans son sac, dit Paul, je l'admets, je l'admets, mais il y a des limites au vraisemblable. Je n'aurais pas dû m'énerver, pas dû crier, Paul s'est refermé, il est allé s'asseoir sur la grève. J'avais trop parlé, encore une fois, quand est-ce que j'apprendrais à garder pour moi mes impressions ? Paul n'attend plus rien de Madeleine, répète-t-il depuis des lunes, autrement dit il s'attend à n'importe quoi, même à l'irrémédiable, mais est-ce qu'il s'y attend vraiment ? Il est le père, après tout. Cette femme, il l'a vue naître, téter, salir ses couches, pleurer, rire, dire ses premiers mots, faire ses nuits, faire ses dents, faire ses devoirs, ses premiers mauvais coups.

J'ai froid. Une buée légère dans la fenêtre, bientôt les premiers rayons de soleil, la nuit sera emportée dans l'effervescence du jour. Le téléphone sonnera. Paul. Il me demandera si j'ai dormi, je lui mentirai, à quoi bon agiter mes angoisses comme des drapeaux ? La vie doit retrouver peu à peu sa place, le travail, le désir, aujourd'hui je sortirai mes toiles et mes pinceaux, j'essaierai de commencer un tableau, une abstraction qui rendrait ma détresse, ma colère, ma colère, mon incommensurable colère, qui répond à l'incommensurable cruauté de Madeleine. Ce qu'elle nous inflige, elle le sait très bien, l'inquiétude, la peur, l'effroi, le vertige, sentir le sol se dérober sous nos pieds, rien de pire que de ne pas savoir, de passer ses journées à se raconter des horreurs, l'ombre de la folie qui se rapproche, grandit, menace de nous engloutir.

Mais elle n'aura pas notre peau. Nous nous le sommes juré, Paul et moi, hier, après avoir fait l'amour. Pour la première fois. Il fallait bien recommencer, le corps qui se remet à exister, en dehors de la douleur, un horizon patiemment dessiné, une petite joie. Il ne faut pas sombrer, il ne faut pas, elle n'aura pas notre peau, Madeleine, à chacune de ses disparitions on se le répète, Paul surtout, comment admettre qu'il ne peut rien pour sa fille ? Moi non plus d'ailleurs. Même si je ne l'ai pas portée dans mon ventre, je suis la femme de Paul, depuis tant d'années déjà que je ne les compte plus. J'ai aidé Madeleine à préparer ses examens au collège, à monter son dossier pour des emplois, j'ai connu tous ses amoureux d'adolescence, je l'ai recueillie, consolée, écoutée quand elle avait du chagrin, je suis la belle-mère, non ? quel affreux mot, quel rôle ingrat ! Pour Madeleine, il n'y a que Paul, Paul, Paul, Paul, tout se joue avant six ans, disent les livres. Moi, à cette époque, j'étais embourbée dans une de mes vies antérieures.

Quelques rayons de soleil maintenant, ils réchauffent le fleuve, caressent le parterre, viennent jusqu'à moi à travers la fenêtre, m'enveloppent. Après la nuit noire, voici le règne du jour. Aujourd'hui, j'accomplirai les tâches de millions de femmes, je ferai du rangement, j'irai au village pour les emplettes, je me préparerai un bon repas ce soir, je prendrai un verre de rouge, je désherberai la rocaille, je cueillerai des fines herbes du jardin, j'écouterai de la musique, je peindrai. Peut-être Madeleine en profitera-t-elle pour réapparaître, je ne sais pas si je m'effondrerai ou si je lui décocherai une gifle à lui briser la mâchoire, est-ce que j'arriverai à me contrôler, comment prévoir? J'ai repassé dix fois la scène dans ma tête, mais je ne sais toujours pas. Je ne lui ouvrirai pas les bras, pas cette fois-ci. Je suis usée comme une vieille robe, je n'ai pas l'infinie réserve d'amour que possède Paul, je ne suis pas la mère. Je dis *amour*, je veux dire *culpabilité*. Est-ce la faute de Paul si sa femme est partie, un jour, laissant derrière elle sa fille comme on abandonne un chat? J'ai beau le lui répéter, et pourtant c'est toujours à recommencer.

Paul a tout donné à sa fille, le temps, l'attention, les cours de ballet, de tennis, de natation, d'espagnol, le collège privé, les voyages, tout. Mais l'abandon d'une mère laisse un trou dans le cœur, qui s'agrandit avec le temps. Rien ne parvient à le remplir, je suis bien placée pour le savoir. Au début, j'ai essayé moi aussi, Madeleine m'a vite remise à ma place, je resterais la femme de son père, une étrangère, une rivale qu'il fallait supporter. Les choses ont changé au fil des années. Ce que je représente pour elle aujourd'hui, je l'ignore, mais elle sait me trouver quand elle a besoin de moi. Paul aussi, d'ailleurs. Elle est complètement avalée par sa blessure, Madeleine, on ne peut rien pour elle, on assiste impuissants au spectacle de sa souffrance, spectacle, oui, elle passe de longs moments les yeux dans le vide, parfois elle se met à crier à Paul les pires insultes, mais il ne réplique pas. *Tu vois bien qu'elle ne va pas*, dit-il. Bien sûr qu'elle ne va pas, mais il faut réagir, il me semble, placer des bornes, lui faire comprendre que nous existons, nous aussi, on ne peut la laisser faire la pluie et le beau temps.

Toujours le même scénario. Je veux rester calme, mais je finis par m'emporter, je m'en veux, Paul se sent seul avec sa peine, il a mal, j'ai mal de le voir avoir mal, ça se répand comme un microbe, un virus qui s'infiltre dans les cellules, provoque une douleur physique, oui, une douleur. Elle va finir par nous rendre malades, je le dis en pleurant à Paul, ce n'est pas seulement une formule. Parfois, Paul pleure aussi, je promets de ne plus m'emporter, je ferai attention à lui, nous ferons attention l'un à l'autre, ne rendons pas la situation plus difficile, ne nous laissons pas détruire par Madeleine, montre-toi forte, courageuse, aide Paul, je promets, je promets.

On n'a pas idée à quel point elle nous use, Madeleine. De vieilles semelles qui ont traîné sur des routes de pierre, voilà l'image qui m'est venue en rêve, au début de notre amour, nous marchions, nous marchions, Paul et moi, et plus nous marchions, plus nous nous enfoncions dans une forêt dense, opaque. Pas un rayon de lumière, le noir, la peur, je criais à l'aide, mais personne ne pouvait m'entendre. Je me suis réveillée en sueur, ce matin-là, et pour la première fois je me suis demandé combien de couples dans notre situation avaient flanché. C'est peut-être ce qu'elle voulait, Madeleine, retrouver son père, l'avoir à elle seule, mais ça ne l'arrangerait pas au fond, ça ne servirait personne. Je saurais ruser, résister, je tiendrais bon, je saurais nous protéger, mais je n'y arriverais pas seule.

Nous sommes toujours ensemble, Paul et moi, nous avons demandé de l'aide, ce n'est pas un déshonneur, d'autres parents aussi, il y a tant de souffrance qu'on ne voit pas, les gens la cachent, ils se distraient, faut-il les blâmer? J'aurai appris ça, avec Madeleine. À vivre avec la douleur, comme si c'était une deuxième peau. Ou une maladie incurable. Mais est-ce qu'on apprend jamais? Je ressemble de plus en plus à Madeleine, je me conte des histoires, je fabule, il n'y a qu'à me voir dans la glace, chaque fois qu'elle disparaît, je dépéris, même un inconnu s'en apercevrait. Un jour peut-être, je ne m'en ferai plus. Madeleine saura, elle ne s'amusera plus à s'évanouir dans la nature, elle admettra enfin sa maladie, elle cherchera du secours, on ne cesse de se le répéter, Paul et moi, pour l'espoir. On n'est plus au dix-neuvième siècle, il y a tant de possibilités aujourd'hui. Madeleine acceptera, oui.

Mais rien de moins sûr, à ce qu'on dit. Elle refusera peut-être toujours, elle se drapera dans sa douleur jusqu'à sa mort. Ou bien elle y mettra fin elle-même, un jour. À son heure. C'est ce que je crois. Est-ce qu'on s'en remettrait? Depuis une semaine, je chasse cette idée, mais chaque jour elle s'installe un peu plus dans mon crâne. Paul aussi, j'en suis sûre. Nous n'en avons pas parlé, nous avons appris à ne pas parler de toutes nos peurs, on finit par vivre dans la terreur, on devient fragiles, friables, il faut savoir garder le moral, il ne faut pas cultiver le malheur.

Il ne faut pas, il faut, toujours ce verbe dans la bouche, qui en vient à supplanter tous les autres. Mon vocabulaire se rétrécit, comme moi. Peau de chagrin, petit âne, je suis un âne, je n'ai pas même déballé mes toiles. Dire que nous avons loué cette maison pour que je peigne. Mais rien ne se donne, le fleuve est impossible, il ne me vient que le noir, le noir des voiles de bateau qui, dans les légendes anciennes, annonçaient la mort. Et je dis non, pas la mort, une voile blanche plutôt, qui se détacherait doucement de l'écume du fleuve, envoie-nous un signe, Madeleine, un petit signe, et ma colère tombera, c'est promis, elle est déjà tombée, tu le vois bien, tu peux revenir, j'attends, je t'attends, nous n'en pouvons plus de t'attendre. Même la chienne. Roulée en boule, elle ne sort plus que pour ses besoins.

C'est le jour maintenant, mais le jour opaque, un brouillard à couper au couteau, qui colle à la moustiquaire. Le paysage a disparu, et le jardin, il ne reste que la maison, ses murs droits, bien dessinés, les chambranles des portes, les fenêtres cachées par les feuillages, et moi, debout, droite et immobile, qui fixe un point flou, d'où un miracle pourrait encore advenir. *C'est miraculeux d'avoir à reprendre le travail*, a dit Paul, hier, avant de partir. Il doit être levé maintenant, a-t-il réussi à fermer l'œil cette nuit ? Il arrivera au bureau avec une tête d'enterrement, mais il devra composer, il composera, il sera bientôt repris par les problèmes quotidiens, les clients impatients, les délais, les employés, les commandes qui n'arrivent pas, ce qu'il trouvait insupportable en juin lui semblera une bénédiction, tout pour effacer l'image de Madeleine, tout pour oublier. Moi, je ne reprendrai mes cours qu'en septembre, pendant un mois je serai harcelée par la mémoire, la mémoire vivante de Madeleine, sa chevelure cuivrée, les taches de blé sur ses bras nus, et sa voix.

Bientôt huit heures, Paul va téléphoner, il me dira qu'il a fait bonne route malgré la pluie, il a trouvé la maison comme avant, au premier signe de beau temps il passera la tondeuse, *Tout va bien, tout va bien*, il répétera cette petite phrase pour se donner du courage, je répondrai *Moi aussi, moi aussi*.

Je dirai la vérité. Aujourd'hui, je commencerai un tableau. Noir, puisque je ne vois que du noir. Mais tant pis, je peindrai. Ce sera ma période noire. Jusqu'à ce que je perce de nouveau le secret de la lumière.

Ailleurs, New York

C'est son regard qui la retient, un regard dense, étranger, juif, pense-t-elle alors qu'il s'approche d'elle pour la féliciter, une belle intervention vraiment, depuis combien de temps s'intéresse-t-elle au Moyen-Orient ? Elle va lui répondre qu'elle se retrouve ici par un curieux concours de circonstances, un invité s'est désisté à la dernière minute, l'organisatrice cherchait un spécialiste du droit international, elle l'a convaincue de participer à ce forum. Mais il détourne déjà la tête en direction d'un journaliste qui vient lui demander une entrevue.

Elle s'éloigne, froissée. Elle prend un verre sur un plateau qu'on lui tend et avance vers un groupe dont elle a rencontré quelques participants. Elle restera un court moment et s'esquivera, personne de toute façon ne remarquera son absence. Cette réception l'ennuie. Mécontente depuis le petit incident, un incident bien banal pourtant, c'est ce dont elle s'efforce de se convaincre en formulant des réponses toutes faites à ses interlocuteurs. Elle aurait pu attendre que le journaliste ait terminé son entrevue, pourquoi s'être comportée comme une adolescente ? Mais lui, il lui a posé une question par pure politesse, elle aurait aimé qu'il lui prête attention, quelques instants seulement, sentir qu'il ne la considérait pas comme une forme humaine de plus dans cette salle anonyme.

Elle se dirige vers le vestiaire quand il la rejoint, ne peut-elle pas attendre un peu, le temps d'en finir avec cette entrevue ? On pourrait dîner ensemble dans un restaurant calme, parler tous les deux, sa vision l'a passionné, il tient à le lui répéter. Elle secoue la tête, il n'est plus temps de racheter ce qui est gâché. Elle prétexte un rendez-vous, lui serre la main, on se reverra lors d'un autre forum, il y aura sûrement des occasions dans l'avenir. Elle décide de marcher jusque chez elle pour retrouver sa sérénité. Elle se fera un sandwich au jambon qu'elle avalera en prenant un bain chaud, puis se blottira dans son lit pour terminer l'essai commencé la veille. Et éteindra tôt.

Elle a éteint tôt en effet, après avoir avalé un somnifère, et s'est enfoncée dans un sommeil sans rêves. C'est le téléphone qui la réveille, elle lit huit heures trente sur sa montre et décroche, l'esprit embrouillé encore. Elle met quelques secondes avant de reconnaître la voix, c'est lui, il a réussi à obtenir son numéro par l'organisatrice, il tient absolument à la voir avant de rentrer dans son pays, il a appuyé sur *absolument*, est-ce qu'elle lui ferait le plaisir de passer la soirée avec lui ? Elle accepte sans avoir eu le temps de réfléchir, après tout elle ne risque rien, au pire elle mourra d'ennui. Elle se demande pourtant ce qu'elle portera, sa robe noire serait sans doute trop habillée, mieux vaut la robe beige, elle n'aura pas l'air de vouloir lui faire du charme.

Il arrive à sept heures, comme prévu. Elle propose un apéritif, le temps de s'entendre sur un restaurant. Il s'assoit dans le fauteuil de cuir, demande un whisky. Elle reste interloquée. Quelle horreur ! est-ce qu'il ne prendrait pas plutôt un martini, une bière ou un verre de rouge ? Il éclate de rire. Aucun Québécois ne boit du whisky, pourquoi ? elle l'ignore. Elle risque une réponse, les consonances anglophones, sans doute, mais il lui rappelle le gin, si populaire ici, et elle s'avoue vaincue, elle ne sait vraiment pas.

On bavarde maintenant comme de vieilles connaissances, il est très heureux qu'elle ait accepté de le revoir, affirme-t-il en soutenant son regard. Encore une fois, elle remarque ses yeux, limpides, touchants, n'est-ce pas surprenant des yeux si pâles ? *Les yeux de mon père, voilà mon héritage,* précise-t-il, ému tout à coup.

L'apéritif est maintenant terminé et l'on n'a pas encore choisi de restaurant, elle le mentionne, tout simplement, mais il suggère un deuxième verre, pourquoi se déplacer immédiatement alors qu'on vient à peine de rompre la glace ? Pourquoi en effet, pourquoi ne pas manger ici, dit-elle, un repas qu'on improvisera, un plat de pâtes avec une salade ? On ouvrira une bouteille de vin et on continuera à bavarder tranquillement. L'idée l'enchante, depuis une semaine il vit à l'hôtel. On se dirige vers la cuisine, elle sort les casseroles, quelle soirée étrange ! elle se retrouve soudain en compagnie d'un inconnu qui lui offre de couper les légumes comme s'il vivait là, elle le regarde relever les manches de sa chemise et enfiler un tablier. Étonnée vraiment, entre l'émotion et le fou rire, dire qu'hier il n'était pour elle qu'un invité sur un programme.

Qu'est-ce qui la fait sourire ? demande-t-il. Elle le lui dit le plus simplement du monde et il se met à rire, lui aussi, *Nous avons l'air d'un couple qui vient de rentrer après le travail.* Le mot *couple* la fait sursauter, métaphore innocente ou le mot porte-t-il son plein de sens, quel désir cachent ces yeux d'eau ? Et si la question se posait, comment réagir ? Elle n'arrive pas à répondre, elle observe à la dérobée les bras nus de cet homme, elle aimerait être tenue entre ces bras-là, elle le croit du moins, mais peut-elle prévoir, est-ce qu'on est jamais sûre de l'effet que suscitera le glissement des mains sur ses épaules, le premier moment où les paumes se moulent à la courbe des hanches, le tout premier moment, celui où l'on ne sait pas encore si le corps acquiescera ?

Il dépose le couteau sur la table et demande s'il peut encore l'aider. Tout est prêt, il n'a qu'à se verser un verre de vin et à attendre les pâtes. Il demeure debout, appuyé contre le comptoir, il la regarde surveiller le feu, sa fourchette à la main, elle se sent observée et, troublée, cherche à montrer qu'elle est absorbée. Entre eux s'installe le silence, il faut essayer de revenir aux rires, mais elle n'arrive pas à formuler la phrase qui jetterait dans la pièce une certaine désinvolture. L'impression de s'enfoncer dans un corridor sans issue. Il se décide à briser le silence. *Vous savez que vous paraissez inatteignable.* Il a visé juste, elle se retourne brusquement, il lui rappelle ces qualificatifs qu'on lui a souvent donnés, lointaine, énigmatique, mystérieuse, faut-il se livrer pieds et poings liés à la première rencontre? Elle prononce, en forçant un peu la voix, *Inatteignable, non. Réservée, tout au plus.* Il plisse les paupières et articule lentement, comme pour lui-même, *Réservée, peut-être, peut-être bien après tout.*

Voilà, les spaghettis sont *al dente*, trop heureuse de faire dévier la conversation, elle peut servir, est-ce qu'il apporterait les assiettes dans la salle à manger? On s'assoit, on mange, on meurt de faim, l'atmosphère s'allège, elle le questionne sur son enfance, il raconte, il s'emporte, elle écoute, elle se rend compte qu'elle n'a jamais imaginé la vie d'un enfant juif. La soirée prend ses contours, ils sont là, l'un devant l'autre, ils trouvent maintenant leur nom dans cette présence.

Il se tait tout à coup, la conversation pour lui n'a peut-être plus d'importance, il porte le verre à ses lèvres et la regarde comme s'il ne l'avait pas vue encore. Elle ne saurait expliquer pourquoi elle approche sa main de la sienne, la caresse du bout de l'ongle sans prononcer une parole, entre eux une distance est en train de se franchir. Ils restent ainsi, à s'effleurer seulement, jusqu'à ce qu'il pousse sa chaise et s'approche d'elle, ils n'auront que quelques heures à eux, dit-il. Elle n'ose pas lui préciser que, toute la journée durant, elle a regretté d'avoir accepté ce rendez-vous, le monde soudain bascule, elle a appuyé la tête contre l'épaule qui s'offre, prise dans son vertige, elle cherche ses lèvres et l'entraîne vers la chambre.

Il parle, il parle en la déshabillant et son corps à elle le reconnaît, lui, elle ignore d'où, il sait les mots qui l'arrachent à elle, elle répond à sa voix, elle tangue dans ses bras, elle s'abandonne.

Silencieux maintenant, tandis qu'elle lui caresse les cheveux, tout a été prononcé. Par la fenêtre entrouverte leur parvient le bruit d'un Boeing, peut-être pour mieux les ramener à la réalité. Le reverra-t-elle, elle ne se pose pas la question. On va chercher des fruits et du vin. On parle de nouveau comme on parle après l'amour quand on distingue moins bien les limites entre les corps, on s'engage dans l'univers de l'autre, on veut tout connaître. Il a recommencé à la caresser pendant qu'elle lui résume la situation du Québec, il sourit en la sentant tressaillir, ses hanches se cambrent et elle glisse contre lui, colle ses lèvres aux siennes. Il la prend plus violemment cette fois, il la déborde, et elle devient une femme qui se laisse déborder.

Le soir les jette dans l'apesanteur, le temps file, demain à pareille heure on sera à des kilomètres l'un de l'autre, c'est lui qui aborde le sujet, peut-il passer cette dernière nuit avec elle ? Elle fait non de la tête, elle se sent incapable de préparer le café du matin à un homme qui s'apprête à disparaître de sa vie, mieux vaut se quitter dans la légèreté que dans le pathos, ne trouve-t-il pas ? Il n'est pas d'accord, vraiment pas, mais il accepte, il n'a pas le choix. Elle le regarde descendre les marches, s'enfoncer dans le taxi, puis se dissoudre dans le noir.

Alors elle revient lentement vers la salle à manger. Elle sourit en apercevant la salade, on l'a oubliée. Elle range tout, retrouver la pièce intacte, conserver cette soirée dans une mémoire fictive, ne se la rappeler qu'au moment où l'on a besoin de se raconter des horizons impossibles. Elle s'endort dans des draps frais qui sentent la lavande, le monde est en ordre. De nouveau.

Elle se lève au petit matin, aujourd'hui elle ira travailler, personne au bureau le samedi, on peut rattraper le temps perdu. De toute façon, elle ne tient pas à rester dans cet appartement vide. La journée passe comme passent les jours quand on s'efforce de ne pas penser, à peine lui vient-il par moments une nostalgie voilée, les gestes qu'il a eus pendant l'amour, et sa voix, sa voix. Elle se tourne alors vers la fenêtre et porte un regard distrait sur les buildings. Les autos circulent, les passants traversent les rues, la ville s'étire, sans histoire, le jour baisse, bientôt il faudra rentrer.

Chez elle, elle prend un bain presque bouillant, change de vêtements. Particulièrement heureuse d'avoir accepté ce repas au restaurant avec un vieil ami, surtout en la circonstance. Elle essaie de se rappeler le menu, elle choisira des cailles à l'orange. Elle va partir quand le téléphone sonne. Elle faillit ne pas répondre, mais se ravise, une urgence peut-être. Dès la première phrase, elle le reconnaît. Il s'embarquera dans quelques minutes, elle lui manque. Décontenancée, elle l'écoute, il lui téléphonera, promis, il lui écrira, on se reverra avant la fin de l'année, ici ou là-bas. Ou ailleurs, New York peut-être. Autour les choses prennent une épaisseur, chaque chose, elle a le goût de croire au bonheur d'une rencontre.

Il faut bien raccrocher. Elle prend son sac et sort. La nuit est tombée maintenant, l'air se fait doux, elle se sent enveloppée. Elle marchera. En passant devant une vitrine, elle aperçoit sa silhouette dans un miroir. Elle s'arrête, se fait une longue grimace. Non, elle n'a pas commencé à mourir.

La vie rêvée

Vous n'avez pas salué la libraire. Vous êtes sortie, gênée, en baissant les yeux. Si longtemps devant les étalages et franchir la porte les mains vides, vides et nues.

Vous saviez pourtant ce que vous vouliez. Un de ces grands livres qu'on lit le soir, avant de dormir, pour préparer le sommeil. Mais, vous ignorez pourquoi, vous vous êtes arrêtée sous l'inscription *Guides de voyage* et vous êtes restée là, comme pétrifiée. Puis vous avez soulevé une couverture cartonnée, vous avez plongé les yeux dans les illustrations en couleurs, vous êtes entrée dans la grandeur de Rome. Il a fallu revenir à la raison, vous avez déposé Rome sur l'étagère, votre mère n'avait jamais voyagé. Mais vos mains ont aussitôt repris Athènes, et Casablanca, et Tunis, voilà que vous recommenciez à rêver.

Vous laissez passer l'autobus, sans monter. Vous marcherez, lentement. L'air sent déjà le muguet, les flâneurs commencent à déambuler le long des boutiques, vous remarquez même des clients assis à la terrasse d'un café, c'est une journée où l'on s'accorde de petites joies, pourquoi ne pas perdre un peu de temps ? Peut-être vous viendra-t-il une idée. Vous pouvez bien offrir à votre mère un bijou ou une écharpe de soie, vous lui offrez toujours des livres. Mais vous avez beau éplucher les vitrines, aucun objet, aucune gâterie, rien, vous avez la tête aussi vide que vos mains.

C'est un livre qu'elle désire, vous la connaissez. Vous lui avez acheté, tome après tome, toute la *Recherche du temps perdu*, puis *Don Quichotte*, juste après *Kamouraska*. Elle a veillé tard, très tard, pour terminer la biographie de Gabrielle Roy, et plus tard encore pour avaler celle de Duras. Elle a rêvé le festin de Babette et vécu en anglais la passion de l'homme flambé. Elle s'est demandé si elle, elle aurait laissé Sartre pour Nelson Algren puis, après *Les mots*, elle s'est convaincue que Beauvoir avait pris la bonne décision.

Oui, vous savez ce qu'elle aime, mais vous avez eu le malheur de vous faire happer par cette photo du colisée de Rome, et tout a basculé. Vous avez pensé au colisée de El Djem, puis à votre traversée du désert, puis à Djerba où Ulysse s'était arrêté, vous avez ressenti sous votre peau les gestes de l'homme que vous aimez, vous avez mêlé l'histoire et la légende, et l'amour vrai avec les récits d'ensor-cellement, qu'importe, tout devenait réel puisque vous pouviez regarder les photos avec des yeux qui avaient vu.

Votre mère est heureuse dans sa maison, elle vous le répète à chacune de vos visites, un sourire aux lèvres, et vous en êtes venue à la croire. Elle n'est pas amère comme souvent les gens de son âge, belle encore vous la trouvez, et pimpante, et affable, il faut bien la croire, n'est-ce pas d'ailleurs ce que vous désirez ? Mais parfois il vous vient ce curieux serrement à l'estomac, et vous vous dites qu'elle n'a pas eu la vie que vous avez. Une phrase échappée au détour d'un souvenir, qui tout à coup fait un trou dans le tissu des mots. Votre enfance vous revient, vous voyez des images qui n'ont jamais été photographiées. Les problèmes de santé de votre père, les difficultés d'argent, et les autres, une souffrance qui effleure à peine la conversation. En-suite, elle revient au présent. Mais vous, vous restez prise dans l'écheveau des vieilles inquiétudes que vous avez depuis longtemps renoncé à démêler.

D'autres femmes de son âge ont eu d'autres vies. Pas dans votre paysage de petite fille brune, là où les mères étaient enserrées dans leurs corsets de mères, mais enfin, vous lisez vous aussi. Des amours, des voyages, l'écriture ou la danse, tout ce qu'on trouve noir sur blanc dans les biographies. C'est de ces femmes-là qu'elle aime parler, tard le soir, à l'heure où les rêves commencent à recouvrir la réalité. Un jour, vous lui aviez demandé si elle aurait aimé vivre la vie de Gabrielle Roy, ou de Duras, ou celle de Beauvoir, mais elle avait à peine hésité, elle avait hoché la tête, non, pas ces vies-là, trop douloureuses, trop compliquées, il lui suffisait de les voir imprimées sur du papier fin. Et vous ? Elle ne vous avait pas posé la question. Pourtant, vous auriez su quoi répondre. Bien sûr, les œuvres sont là, immenses, mais vous auriez admis que vous non plus vous n'auriez pas voulu vous retrouver dans une de ces vies-là.

Ce n'est pas votre faute si vous vivez la vie d'une femme de votre âge. Souvent difficile, la vie, le temps déchiré, le temps rogné pour réussir à trouver un peu de temps, mais vous finissez tout de même par écrire vos livres, vous réussissez à penser, à rire, à lever votre verre, bien haut, les jours de fête. Vous aimez, vous êtes aimée. Vous voulez croire qu'un chemin plus large s'est ouvert maintenant, une façon de voir le monde, de composer avec l'angoisse qui vous tenaille parfois, quand la nuit transforme les ombres en fantômes. Vous voulez le croire, mais au fond de votre fragilité, vous sentez que vous n'avez peut-être pas raison. Peut-être n'êtes-vous pas si loin de votre mère que vous le pensiez.

Demain, vous traverserez le fleuve, puis cette plaine qui après toutes ces années vous semble encore étrangère, puis la route s'enfoncera dans le roc des montagnes, et vous retrouverez cette petite fille brune qui ne cessera jamais de vous habiter. Votre mère vous accueillera, vous lui aurez apporté un cadeau comme d'habitude, vous lui tendrez un livre. Oui, un livre. Déjà, vous défaites les pas que vous avez emboîtés lentement les uns dans les autres, vous revenez vers votre librairie.

Vous entrez, vous lancez un bonjour sonore malgré la rougeur de vos joues, vous dites à la propriétaire que vous avez oublié de vous procurer un ouvrage pour vos cours, elle vous connaît bien, elle fait semblant de vous croire, vous pourrez fureter aussi longtemps que nécessaire. Vous évitez le rayon des guides de voyage et vous allez directement à la section des romans. Vous êtes décidée, cette fois vous choisirez la vie d'une femme qui n'a jamais existé. Il suffit d'un peu de patience, vous finirez bien par trouver.

Les mots désuets

Cet été-là, le monde s'était illuminé de nouveau, pourquoi, elle ne voulait pas se le demander, elle préférait rester dans un certain aveuglement, libre de toute conscience. C'était l'été, vraiment, celui de la plage et des oiseaux, et elle marchait le long des choses, elle avançait vers je ne sais quoi, un rien enseveli à l'intérieur de la terre, ce noyau minuscule qui nous retient dans la matière. À peine avait-elle parcouru la lettre qu'il lui avait fait parvenir, à peine avait-elle remarqué les mots qui s'égrenaient dans leur étrangeté. Elle était là, distraite, tout entière livrée à cette distraction. J'aimais la voir ainsi, je veux dire, je l'aimais, et bêtement je voulais la voir heureuse, comme s'il était possible que surgisse une autre vie dans sa vie. J'ai toujours eu une immense naïveté que j'arrive mal à cacher, j'en éprouve parfois un peu de honte dans les réceptions où il convient d'afficher une moue teintée de désillusion. C'est le côté de moi qui a le moins vieilli, ma figure cachée en quelque sorte, elle se dévoile tout à coup au milieu d'une phrase, par l'emploi de mots désuets, *amour*, *espoir*, *bonheur*, ces mots qui font de vilaines taches d'encre dans la conversation.

Pendant tout l'hiver, elle avait été dans un tel état de repliement que j'avais été très inquiète. Que se passait-il entre lui et elle ? Personne ne le savait réellement, mais ce que je pouvais remarquer, c'est que rien n'allait plus. Oh! pas de signes clairs, pas d'évidences, seulement de petits indices, une hésitation dans la prunelle quand ils s'observaient tous les deux, comme s'ils ne se reconnaissaient plus, après tant d'années de vie commune. Lui ne lui murmurait plus les surnoms qu'on donne à une amante et elle ne semblait pas s'en rendre compte, totalement absente aux autres, jusque dans sa façon de me regarder sans me voir lorsque je lui posais une question. Elle m'échappait, me fuyait sans que j'aie l'impression de la perdre pourtant. Nous arriverions bien à nous retrouver, c'était ma mère et elle le resterait toujours.

Il était arrivé un beau samedi de juillet, après les vacances. Maman l'avait rencontré je ne sais où et voilà qu'il venait passer quelques jours à la maison, avec son air faussement détaché. Il me semble avoir compris tout de suite qu'il était amoureux de maman et qu'il ferait tout pour me l'arracher. Je l'ai haï, d'une haine pure, une haine d'enfant qui sait qu'elle ne gagnera pas. Ma mère avait avec lui des gestes que je ne lui avais jamais vus, une manière langoureuse de poser la main sur sa nuque quand elle lui adressait la parole, ou de lui sourire au moment d'apporter un plat sur la table. C'était l'enfer chez nous, un enfer de tendresse. Il nous adorait toutes les deux, disait-il en nous embrassant, et il voulait venir passer toutes ses fins de semaine avec nous.

Ce n'est qu'après mon départ de la maison que je me suis aperçue qu'il avait vraiment de l'affection pour moi. Pendant toutes les années où nous avons habité sous le même toit, je ne m'en étais pas rendu compte, même s'il m'aidait à faire mes devoirs, même s'il ne manquait jamais une pièce de théâtre dans laquelle j'avais un rôle à l'école. Aux fillettes qui me demandaient *C'est ton père?*, je répondais d'un mouvement énergique de la tête. Quelle idée ! moi si brune et lui si blond ! Mais je m'étais habituée à sa présence comme à une maladie incurable qui n'entraînerait pas la mort. Après tout, je n'avais pas perdu ma mère, elle était encore là pour moi. Et puis j'avais grandi. Dans mes poches traînaient les photos des vedettes de cinéma auxquelles je rêvais et celle d'un garçon, bien réel, que j'avais rencontré lors d'un échange scolaire. La vie faisait son œuvre, sournoisement.

Je n'ai pas eu de nouvelles de lui depuis trois ans. Il m'avait téléphoné pour m'annoncer qu'il venait d'accepter un contrat pour une agence de développement, il ne savait pas encore dans quel pays d'Afrique on l'enverrait, peu lui importait de toute façon, entre lui et ma mère rien n'allait. Je n'ai pas versé de larmes en raccrochant, trop préoccupée par mes propres problèmes, j'étais au chômage depuis presque trois mois et il y avait peu d'espoir de me trouver du travail. Et puis ma mère n'était plus que l'ombre d'elle-même, il fallait bien qu'une décision soit prise.

Soulagée, c'est à vrai dire ce qui pourrait le mieux qualifier ma réaction. Soulagée, mais pas seulement. Ma mère m'appartiendrait de nouveau, elle serait de nouveau à moi seule. Je l'ai invitée à venir passer quelques semaines chez moi, je lui préparerais des mets appétissants, je l'emmènerais au cinéma. Elle a d'abord refusé, j'ai dû plaider ma cause, puis un soir elle est arrivée avec assez de vêtements pour deux ou trois semaines. J'avais réussi. J'étais heureuse comme quand j'avais obtenu une médaille après une compétition de patin artistique au centre sportif du quartier.

Deux mois elle est restée. Au début, elle s'enfermait dans un mutisme sans fond. En revenant du travail, elle ouvrait le téléviseur et le laissait allumé toute la soirée. Puis, peu à peu, elle s'est mise à bavarder avec moi. J'essayais de l'égayer, elle se surprenait à rire quelquefois, par moments elle oubliait. Souvent cependant, elle se souvenait et ses joues se couvraient de larmes. Son image était fissurée, elle n'avait plus rien à cacher. Et j'avais besoin de sa fragilité pour affirmer ma propre force, le saisissait-elle, peut-être, car elle a commencé à me faire des confidences, elle jusque-là si discrète.

On n'imagine jamais sa mère dans un rôle d'amoureuse, même quand on sait qu'elle a aimé. On n'imagine jamais sa mère comme les autres femmes, à croire qu'elle est protégée, grâce à un obscurcissement de notre savoir, d'une humanité déchirante. Je la découvrais à ma ressemblance, fragile, hésitante, incapable d'affronter le drame qu'elle vivait. Comme moi, l'année précédente, lorsque nous nous étions quittés, Martin et moi.

Quand elle est retournée chez elle, l'été était là pour de bon et elle avait recommencé à manger. J'avais cessé de l'appeler maman, je l'appelais maintenant par son prénom, Monique. Voilà une différence entre les générations : grand-mère, elle, n'avait plus jamais eu de prénom après son mariage. Curieusement, il avait fallu ce chagrin pour que ma mère se mette à rajeunir. Elle s'est fait couper les cheveux, a troqué sa maison contre un appartement avec un puits de lumière, elle a commencé à parler de voyages. Il lui arrivait encore de penser à lui, disait-elle, mais comme à un souvenir tranquille. Moi aussi, j'étais apaisée. Martin allait se marier, mon cœur avait failli céder à l'annonce de la nouvelle, mais j'avais survécu. Et puis maman et moi, nous partions à la mer. Trois ans déjà !

Cet après-midi, la lumière dessine des contours ronds aux arbres. Je serre très fort la main de Jean-Philippe, nous marchons doucement, heureux de la grande nouvelle que nous allons apprendre à Monique. Je suis enceinte. En passant près de mon école de petite fille, je ne sais pas pourquoi, j'ai pensé à lui. J'aurais voulu qu'il le sache, lui aussi, au fond de son Afrique.

Funérailles

Un jour, votre père n'est plus votre père, c'est un corps inerte, un cadavre, comme votre grand-père. Tout s'est passé en un instant. La sonnerie du téléphone, la voix de votre frère, sa voix d'homme qui ne sait pas parler, et vous avez répondu *Je serai là ce soir*, l'œil sur le réveil. Était-il trop tôt pour prévenir le collège ?

C'est sans émotion aucune que vous vous êtes entendue dire au directeur *Mon père est décédé*. Il vous a offert ses condoléances, vous avez remercié machinalement, vous aviez la tête aux questions d'examens qu'il fallait préparer pour les étudiants, et puis vous deviez trouver un suppléant, vérifier les horaires du train, faire nettoyer votre tailleur et acheter un habit à votre fils. Mais d'abord lui annoncer la nouvelle. Comment annonce-t-on la mort à un enfant de dix ans ? Vous n'avez pas eu le temps de penser à votre père, vous n'avez pas eu le temps de vous demander si, au moment de sa mort, votre père avait eu une pensée pour vous.

Il vous faudrait quelques jours, un mois peut-être. Une nuit, votre père vous sourirait dans son sommeil, et cet homme-là ne serait plus celui qui vous a quittée sans vous dire adieu, ce serait un autre père, celui à qui il arrivait de vous raconter des histoires impossibles, quand vous étiez petite. Déjà, à l'époque, vous ne le preniez pas au sérieux.

Mais vous aimiez sa grosse voix, et puis son rire quand il n'y avait plus ni bons ni méchants, et vous riiez avec lui, même si vous saviez que les vrais contes ne se terminaient pas de cette façon. On se mariait, on vivait heureux, c'était un bonheur rassurant, avec des récompenses et des punitions. Là, le monde était en ordre, les princes apparaissaient au bon moment.

Votre père, lui, vous ne l'avez jamais imaginé en prince. Une chemise sale quand il rentrait du travail, ces mains abîmées, et cette barbe forte, qu'il rasait le matin et le soir, l'été. Vous n'arriviez pas à le reconnaître sur la photo qu'avait encadrée votre mère et qu'elle regardait, parfois, comme si elle la voyait pour la première fois. Il était beau et jeune et souriant, mais d'un sourire voilé de tristesse, ou plutôt de douleur, comme si la vie s'était prise dans ses propres rouages, il y avait très longtemps, et qu'il avait fallu patiemment l'en dégager. Sans doute parce qu'il était orphelin.

Orphelin, c'est un mot que vous avez entendu à la maison avant même d'en apprendre le sens, et puis *orphelinat*, ce gros édifice semblable à une école où étaient entassés des centaines d'enfants. Vous n'avez jamais compris ce que cela signifiait, n'avoir ni père ni mère, sauf un jour à la télévision, au cours d'un film où un petit garçon errait à la recherche de ses parents. Vous pleuriez, de gros sanglots d'enfant, puis vous avez aussitôt oublié. De sa mère à lui, vous ne connaissez que le prénom, celui qu'on vous a donné à la naissance. Rien que cela. Votre père ne vous a jamais rien dit d'autre, il n'en savait pas plus. Il ne gardait d'elle qu'un maigre souvenir, ou plutôt une vision vague, brouillée. Il est sur un traversier, les cheveux blonds cachés sous une petite tuque rouge, une femme sans visage lui tient la main.

Ses mains, elles sont maintenant jointes à jamais. Les ongles bien taillés, comme ceux des hommes qui portent de belles chemises pour travailler, et qui savent parler sans faire de fautes. C'est un père comme celui-là que vous vous inventiez quand vous aviez onze ans. Le soir, dans votre lit, vous fermiez les yeux et vous deveniez la fille d'un homme dont vous étiez fière, un agent d'assurances, un médecin, un avocat. Un père qui s'assoyait à table, le lundi, après le repas, et qui corrigeait vos thèmes latins. Votre père, lui, au moment des devoirs et des leçons, il était au travail. Gardien de nuit dans un garage, les heures qui s'égrènent lentement jusqu'au retour de l'aube, toutes ces heures de veille, mises bout à bout, ruban infini qui se déroulait, nuit après nuit, année après année, à quoi pouvait-il bien songer ? Sa vie ne vous appartenait pas. La nuit, vous, vous dormiez.

Vous, ce n'était pas que vous. Mais vos petits frères et vous, en un bloc dur, indivisible, une entité que, même dans l'éternité du futur, rien ne pourrait briser. Vous n'aviez pas encore appris à vous voir avec ces yeux qui fouillent les anfractuosités du cœur à la recherche d'eaux dormantes, de parfums d'hiver, de bûchers. Vous aimiez jouer à la marelle ou aux cow-boys dans le jardin, vous avanciez bien droite dans votre univers en demandant qu'on vous suive. On vous suivait, on vous écoutait, vous étiez l'aînée.

Et puis un samedi de février, il y a eu ce sang entre vos jambes et vous vous êtes retrouvée seule, face à un mystère qu'il fallait soigneusement cacher sous des linges blancs. Vous étiez maintenant une jeune fille et vous le resteriez. Dans votre ventre, vous connaîtriez le corps d'un homme, les coups de pied d'un enfant, ces émotions qu'on ne peut pas partager. Vos frères, vous les avez laissés à leurs revolvers et vous vous êtes mise à lire des romans-photos. Parfois, vous vous exerciez à dire *Je t'aime*, en vous barbouillant de rouge à lèvres trop rouge devant le miroir de la salle de bains.

Je t'aime, vous l'avez dit à plusieurs hommes. Ce grand roux que vous avez passionnément aimé, à l'âge de seize ans, celui qui allait devenir votre premier amant, d'autres ensuite, que vous n'étiez pas vraiment sûre de désirer. Mais vous cherchiez à vous rassurer au moment où vous détachiez votre blouse. Vous disiez *Je t'aime*, comme une formule magique, pour qu'on vous réponde *Moi aussi*. Vous n'avez jamais été convaincue qu'on vous ouvrirait les bras.

Maintenant, il y a votre fils, il y a cet homme près de vous, et la vie qui s'est bâtie patiemment dans votre vie. Vous fixez un tout petit rectangle dans votre tête et vous le remplissez de promesses. Vous ne tournez plus aussi souvent les yeux du côté de votre passé. Votre silence, la façon dont vous caressez la joue froide, maquillée, qui ne se dérobe pas au toucher, on dirait que vous avez tracé une frontière entre la mémoire et l'oubli. Vous le croyez, du moins, agenouillée sur le prie-Dieu, alors que remuent en vous les odeurs pleines de messes, le visage du Christ miséricordieux, les appels à la sainteté, cela même qui, à ce moment précis, vous attendrit. Votre père, vous êtes occupée à essayer de l'aimer.

Mais une tante vient vous rejoindre et vous voilà de nouveau au centre de vos vieux souvenirs, les visites du dimanche, les robes propres du dimanche, c'est vraiment dimanche tout à coup, vous avez quatre ans, votre père est à la maison, vous aimeriez qu'il vous prenne sur ses genoux, n'a-t-il pas été absent tous les soirs de la semaine ? Mais il grille lentement sa cigarette sans vous voir. Alors vous criez, vous chahutez, vous faites un beau vacarme. Il se lève enfin, s'approche et vous donne cette tape que vous n'oublierez jamais. Jamais plus vous ne lui demanderez un peu de tendresse.

Dans le fumoir, vous écoutez maintenant votre tante vous raconter des anecdotes de sa jeunesse, vous l'écoutez distraitement en essayant de faire taire en vous la colère, la colère sourde qui monte le long de votre colonne vertébrale, arrive à votre nuque, s'installera bientôt dans vos mâchoires, colère dure comme un aveu que vous n'oseriez faire à personne. Ce n'est pas votre faute si vous ne réussissez pas à pleurer votre père, comment pleurer un homme qui vous est resté étranger ?

Mais on vous pose une question et il vous faut sortir de votre mutisme, vous répondez, après tout vous êtes encore polie, vous parlez du présent, des saisons qui passent, non, l'homme qu'on a connu à votre mariage n'est plus votre mari, c'est la vie de maintenant, votre fils grandit, il aura onze ans bientôt, il a l'air d'un adolescent déjà avec le veston que vous lui avez acheté. Vous redevenez une mère avec des préoccupations de mère, et vous dites ce que disent les mères aux funérailles.

On vient vous chercher, c'est le moment de fermer le cercueil. Vous vous recueillerez pour le dernier adieu obligé, puis vous glisserez votre bras sous celui de votre mère, vous vous acheminerez vers l'automobile qui vous conduira à l'église. Vous prendrez place dans le premier banc. Vous vous lèverez, vous vous assoirez, vous vous agenouillerez en même temps que toute la famille, vous ferez semblant de prier. Peut-être prierez-vous, à votre façon. Vous tenterez de fermer votre enfance, là, devant les fleurs et les nuages d'encens. Mais elle se rouvrira, vous le savez. Et il faudra tout reprendre à zéro.

Le chat

Un soir, elle l'a quitté sans une parole, comme on quitte un homme qu'on a passionnément aimé quand la voix ne peut supporter des phrases qui risqueraient de tuer. Elle n'a rien emporté, sauf le chat, un cadeau qu'il lui avait offert un an plus tôt pour son anniversaire, un chat laid, gris et blanc, aux yeux de couleurs différentes. En mettant la bête dans sa cage, elle s'est rappelé l'après-midi où ils étaient allés tous les deux l'acheter. Elle lui avait montré le chaton gris et blanc, épouvantablement laid, et il l'avait serrée contre lui en lui demandant pourquoi, pourquoi celui-là. Dans un éclat de rire, elle s'était défendue, celui-là, personne ne l'adopterait, il terminerait sa vie dans un laboratoire. Il lui avait donné un baiser sur la tempe, elle s'en souvenait parfaitement, et elle lui avait rendu son baiser.

Elle a refermé doucement la porte, incapable de prononcer des mots qui apaisent, *Prends bien soin de toi* ou, en guise d'explication, *Il n'y a pas d'autre solution*. Sa colère était tombée. Elle s'est retrouvée dans le noir, un noir sale, sans savoir où elle irait. Peu importait après tout puisqu'elle avait cette certitude : elle ne le reverrait plus. Comment revoir un homme qu'elle avait autant aimé, comment traverser la passion pour s'adonner aux banalités de la conversation courante ? Elle savait qu'elle ne le reverrait pas et ne l'a pas revu. Elle a demandé aux amis de ne plus jamais parler de lui devant elle. Elle a changé le nom de son chat. Elle vivait, une vie de femme qui essaie d'oublier.

Puis elle a décidé que le temps était venu pour elle d'avoir un enfant. Elle a eu un enfant, blond et rose, qui ne ressemblait à personne. Elle l'adorait pour cette raison, il ne lui rappelait rien, il était l'amnésie. Elle se conformait à cette enfance. C'était l'existence quotidienne, les jeux, les collations, les petites peines, un monde sans ailleurs, plénitude et vacuité. Il lui arrivait de penser à lui, l'homme de sa passion, et pourtant elle n'arrivait pas à se le représenter, ni son visage ni ses mains, désormais pure abstraction, malgré les petits scénarios. Qu'était-il devenu, lui qui lui avait avoué une nuit que jamais il ne pourrait vivre sans elle, aimait-il de nouveau? Elle s'efforçait d'imaginer une autre femme dans le lit où elle avait dormi, la chambre intacte sous les caresses, le bruissement du peuplier devant la fenêtre, les capucines dans la plate-bande du jardin. Mais elle ne souffrait pas.

Le chat devenait vieux. Il ne chassait plus, refusait de sortir durant les longs mois d'hiver. La nuit, il se pelotonnait contre elle et ronronnait. Elle le caressait en lui parlant presque tendrement. L'été suivant, l'enfant a refusé d'aller à la mer avec elle, il désirait passer ses vacances dans un camp, avec des garçons de son âge. Elle a baissé les yeux, a promis de réfléchir. Ce soir-là, dans une glace, elle a remarqué une ride profonde à la commissure de ses lèvres. Il fallait se rendre à l'évidence: l'enfant échapperait, il échappait déjà. Elle ne ferait rien pour le retenir.

Elle est allée elle-même le conduire. C'est là qu'elle l'a rencontré, lui, avec son fils. Qu'il était venu conduire, lui aussi. Elle n'avait pas oublié. Ni sa façon de sourire en penchant la tête de côté ni sa voix un peu rauque. Quand il lui a donné rendez-vous, elle a accepté. Elle le reverrait. Maintenant.

Assise à la terrasse du restaurant, elle le regarde venir, de sa démarche nonchalante. Elle l'observe, effrayée, que résultera-t-il de cette soirée, sérénité ou chagrin ? Mais il n'est plus temps de changer d'idée, il avance vers elle, il est vraiment heureux de la retrouver, dit-il. Elle ne répond rien, que peut répondre une femme qui n'a rien oublié, sinon se faire aux lieux communs, *Il y a si longtemps*, des phrases qui permettent de se rapprocher doucement l'un de l'autre dans la chaleur de juillet.

Il y a si longtemps. Elle se rappelle cette soirée de juillet, semblable à celle-ci, où pour la première fois il lui avait dit qu'il était amoureux d'elle, elle se rappelle l'émotion, le silence qui avait suivi, le moment où il avait posé la main sur la sienne, oui, la même émotion qu'à la minute même alors que, lui effleurant la paume, il lui murmure qu'il ne l'oubliera jamais. Combien de temps lui faudra-t-il, à elle, pour lui dire qu'elle l'aime encore, le temps du repas peut-être ou d'un dernier digestif, elle l'ignore, pour le moment elle se tait, elle l'observe, il n'a pas changé même s'il a vieilli.

Il est des soirs où l'on ne veut plus se souvenir des mots définitifs qui ont été prononcés. On rêve de bonheur en grillant une cigarette, on se fait croire que les rides qu'on voit chez l'autre sont des données du hasard, on a pu se tromper sur ses sentiments. Il est des soirs où l'on ne veut pas se quitter. Presque naturellement, il lui demande de passer la nuit chez lui. Et, presque naturellement, elle l'invite plutôt à aller chez elle. Pour le moment, elle ne pourrait supporter de revoir la maison, la chambre, le peuplier devant la fenêtre, la plate-bande de capucines. Entre elle et lui, elle ne veut aucun repère, aucun rappel du passé.

Elle lui donne l'adresse, elle conduira lentement, il la suivra. Voilà, c'est ici, un nouveau quartier, où il n'est jamais venu. C'est bien ici. Il lui prend les épaules pour monter les quelques marches de l'escalier. Mais vite elle se dégage en étouffant un cri. Le vieux chat gris et blanc est là, étendu devant la porte. Déjà raide, déjà froid.

Chambre 28

Il dort. Il dort et sourit, les paumes ouvertes, abandonné. Elle frissonne. Déjà l'air se fait plus frais, il faudrait fermer la fenêtre. Elle se contente de tirer la couverture sur ses épaules. Il dort et elle l'observe. Elle voudrait enlever la mèche châtaine sur sa paupière, mais elle n'ose le moindre geste, surtout ne pas le réveiller. Elle tourne les yeux vers la fenêtre. Le rideau ne bouge plus, le vent est tombé, l'aube vient. Elle pense à cette vie qui la reprendra bientôt, elle essaie de percevoir un rayon de lumière. Trop tôt encore.

Il sourit. Elle lui envie ce sommeil alors qu'elle n'a pas fermé l'œil, troublée. Pleurera-t-il tout à l'heure en se réveillant? Elle revoit ses larmes, la façon désespérée dont il lui a caressé les seins, il criait presque qu'il la désirait terriblement malgré cette impuissance soudaine, un désespoir qu'elle n'était pas sûre de comprendre tout à fait, on était bien ensemble dans cette nuit venteuse, pourquoi ce drame? Elle l'a pris dans ses bras et il s'est endormi, apaisé, convaincu peut-être de la sincérité de cette voix qui lui murmurait des tendresses.

Maintenant la lumière à travers les rideaux, il faut se lever. Elle enfile sa robe, se dirige vers la fenêtre, réussit à la fermer délicatement, puis revient vers le lit. Un baiser sur la tempe qui s'offre et elle sourit.

Dans le corridor, rien, personne. Une enfilade de portes toutes pareilles. Elle vérifie si sa clé se trouve bien au fond de sa poche, avance en cherchant le numéro de sa chambre. Nostalgique tout à coup. Elle a besoin de croire qu'il y aura d'autres nuits.

All inclusive

La mer, tu l'as cherchée dans tous les pays que tu as parcourus, tu l'as vue parfois debout, hérissée, irritée, mais le plus souvent somnolente, presque assoupie, et alors te revenait l'image de ce lac bondé où vous emmenait, tes sœurs et toi, une tante qui avait une voiture. Tu l'aimes dans tous ses états, la mer, et tu t'y rends tous les étés, tu ne pourrais pas traverser une année sans cette odeur de sel sur la peau. Tu t'y rends comme on va en pèlerinage, tu demandes une chambre d'où tu peux la contempler et tu passes des heures à te réconcilier avec ta vie.

Cette année, une île perdue que t'a vantée une agente de voyages. Réserve faunique, crabes, tortues géantes qui viennent pondre sur la plage, et quelques hôtels dispersés pour des touristes qui s'y sont pris trop tard pour louer la maison de leurs rêves. Tu as payé le forfait et tu es partie, ton petit bagage sous le bras. Et te voilà, seule avec ton extase, à arpenter la plage déserte, oui, à peu près déserte, l'agente de voyages t'a dit la vérité, en cette saison l'hôtel est à moitié vide, et les clients ne descendent que tard dans la matinée. Le temps d'une promenade, tu pourras te faire croire que l'île t'appartient, pourquoi pas? Il y a des gens, tu le sais, qui possèdent des palais, des paquebots et des villes, des nouveaux riches que tu ne fréquenterais pas, mais tu peux bien faire semblant, ce matin, d'être au-dessus de la mêlée. Dans quelques minutes, à la séance d'information pour les nouveaux arrivants, il sera bien temps de revenir à la réalité.

Des hommes et des femmes comme toi ici, en effet, des travailleurs venus faire le plein de soleil pour l'hiver, tous les fauteuils du hall de l'hôtel sont occupés. Tu salues poliment tes voisins de la rangée dix-sept dans l'avion, un couple de restaurateurs fin quarantaine avec qui tu ne souhaites pas sympathiser, et tu parcours des yeux la salle en acceptant l'inévitable punch de bienvenue offert par la représentante de voyages. Même s'il n'est que dix heures, ces breuvages-là sont tellement dilués qu'on pourrait en remplir le biberon du bébé qui gazouille, à l'ombre de la plante tropicale, là-bas. Ou est située la chambre de ses parents ? loin de la tienne, tu l'espères, un peu coupable d'appartenir à ces célibataires qui préfèrent les chats aux enfants. Mais ce sont tes vacances, tu n'as pas fait des milliers de kilomètres pour avoir l'impression de te retrouver dans une garderie.

Voilà maintenant le moment des renseignements essentiels à votre séjour, explique la représentante, qui n'a pas l'air plus chaleureuse qu'il ne faut. Tu te demandes qui elle est, qui sont ces femmes venues travailler dans le Sud pour un salaire sans doute dérisoire, tandis qu'elle explique comment fonctionnera votre vie dans cet établissement. Les heures de repas, les bars, les excursions, les serviettes, les règles à suivre au bord de la mer. Tu tends l'oreille, elle invite les nudistes à se tenir loin des familles, à l'extrême limite de la plage, et les gens autour s'examinent discrètement, sans doute se demandent-ils qui ils pourraient croiser flambant nus. Tu baisses les yeux, amusée. Des hôtels où les Européennes se font bronzer les seins nus, tu en as visité même dans les pays musulmans, mais c'est la première fois qu'on vous parle de nudisme dans un *all inclusive*.

En plein cœur de la plage, les animateurs qui viennent vous inviter à jouer au volley-ball, des enfants avec pelles et chaudières roses, quelques pédalos bercés par la marée basse, et ce voilier qui verse toutes les quinze minutes, à te demander quel masochiste passe ses vacances à se donner ce mal fou alors qu'on peut lire de si bons romans ou aller se chercher un *drink* bien froid au petit bar près de la piscine. Mais tout le monde a droit à ses goûts, cette énorme femme par exemple qui enlève son soutien-gorge juste avant sa promenade, alors qu'elle pourrait se bronzer tranquillement sous son parasol sans exhiber des seins pendants.

Tu aimerais toi aussi te promener seins nus sur la plage, mais tu n'oses pas, tu as toujours porté trop d'attention à ton apparence, l'impact de la publicité, bien sûr, et aussi un fond de vieille pudeur, on n'étudie pas chez les sœurs pendant autant d'années sans qu'il en reste quelque chose. Tu adores cet hôtel, la décoration, la tranquillité, le personnel, les vacanciers simples et distingués, tu le disais hier à des Finlandais qui t'ont invitée à partager leur dîner. Habituellement, à cette heure, ils sont déjà étendus sur la plage, mais aujourd'hui tu ne les vois pas. Sans doute ont-ils décidé d'aller à l'excursion de pêche qu'on vous a fortement recommandée.

Toi, tu ne bougeras pas d'ici pendant ces deux semaines. Dès ton retour, tu devras accompagner ton employeur dans sa tournée commerciale en Asie, tu veux emmagasiner de l'énergie. Tout ce que tu désires, c'est lire, bronzer, et te lever parfois pour te baigner ou faire une promenade. Hier, tu as marché vers la gauche, là où sont alignés comme des forteresses les trois hôtels de l'île, tu as visité toutes les boutiques à souvenirs et puis tu as commandé ton habituelle *margarita* dans un autre bar pour te dépayser. Aujourd'hui, tu comptes marcher vers la droite, tu traverseras la plage des nudistes pour aller prendre des photos de la nature sauvage, même si tu as un peu peur. Il n'y a aucun danger, on vous l'a assuré, mais peut-on réellement savoir qui peut surgir tout à coup ? Tu n'es pas pour t'immobiliser pourtant parce que tu es une femme seule.

Tout est de plus en plus dénudé : la plage, la mer, et les vacanciers. Quelques secondes à peine et tu croiseras cet homme ventru dont le pénis se balance nonchalamment. Tu as peine à reconnaître ton voisin de table au petit-déjeuner, ce matin, et sa compagne, une femme aux cheveux jaunes qui ne craint pas de s'exhiber. Faut-il les saluer ou faire semblant de ne pas les reconnaître, tu te le demandes, mais vite ils te tirent de l'embarras avec un *Guten Tag* plein de chaleur. Tu ne croyais pas que ce serait aussi simple. Une jeune femme tout près enduit en riant son compagnon de crème blanchâtre, un homme mûr au loin avance vers la mer avec la lenteur d'un moine, et le calme, luxe, calme et volupté, l'impression d'avoir échoué sur une île déserte.

Tu aperçois de plus en plus de personnes que tu salues au bar, à la piscine ou dans la salle à manger, des gens de tous les âges. Voilà les Finlandais dont tu as partagé la table hier, ils ne sont pas en excursion, ils lisent sous un parasol, un peu à l'écart. À leur discrétion, tu devines qu'il s'agit de leur première visite dans le clan des nudistes. Ils ont su braver leurs interdits, tu les admires. Si tu n'étais pas si timide, tu enlèverais ton maillot toi aussi et tu t'étendrais, tu imagines le sel, l'odeur de la mer, la brise, les caresses de la brise sur ta peau.

Tu n'as plus le goût d'aller photographier des oiseaux dans les dunes. C'est immédiatement qu'il faut faire le grand saut, cet après-midi tu n'en auras pas le courage. Tu reviens lentement vers les nudistes en essayant de repérer une chaise dans la troisième rangée de parasols. De là, tu pourras observer les us et coutumes du lieu, tu ne commettras pas d'impair. Tu remarques que tout le monde n'est pas nu. Devant toi, une superbe Italienne essaie de convaincre son compagnon d'enlever son maillot, mais il résiste en riant. Une jeune femme s'enfonce dans les vagues avec sa seule culotte de bikini. Plus à l'aise tout à coup, tu décides de l'imiter, on peut donc procéder par étapes. Tu dégrafes ton soutien-gorge et tu prends une revue, pour te donner une contenance.

Tu n'aurais jamais cru être à ce point voyeuse, mais ce n'est peut-être que la nouveauté. La plupart des gens vont et viennent comme dans une cafétéria, alors que d'autres, des néophytes, sûrement, ont la démarche d'oiseaux apeurés. Il y a aussi des exhibitionnistes. Un étalon sommeille les jambes écartées, pour qu'on voie bien son attirail digne des films porno. Un autre homme, plus loin, fait les cent pas devant un groupe de baigneuses. Voyeuse, peut-être l'es-tu, mais tu te trouves dans le lieu idéal pour vivre ses petites perversions. Te voilà maintenant à l'aise, tu te laisses même distraire par un intéressant dossier sur les dangers du bronzage.

Ta voisine se met à fouiller dans son sac. De plus en plus énervée, elle bouscule tout, puis finit par pousser un soupir de soulagement. Elle montre à son compagnon une pince à épiler et commence à tirer un par un les poils qui repoussent sur sa vulve, manque flagrant d'éducation! Tu constates alors que toutes les femmes ici ont le sexe blanc comme des nourrissons. Tu ne t'y habitueras jamais, tu dois d'ailleurs te battre avec ton esthéticienne qui, à chacune de tes visites, veut t'épiler à la cire la ligne du bikini. Et chaque fois tu reprends tes arguments. Tu n'as pas à suivre les modes dictées par des hommes qui ont peur des femmes, tu aimes les toisons abondantes, jamais tu ne toucheras à un poil de ta fourrure rousse.

De toute façon, ce n'est pas l'endroit pour militer. Tu plonges ton regard dans la ligne d'horizon et tu essaies d'oublier ta voisine, complètement obnubilée par sa tâche. Et puis midi approche, et le moment de l'apéro. Tu songes à remettre ton soutien-gorge pour aller au petit bar près de la piscine quand tu reconnais de dos tes compagnons de table qui, les fesses blanches comme des pommes, se dirigent vers la mer. Tu n'aurais qu'à faire glisser ta culotte de bikini et à marcher à petits pas, toi aussi, dans le sable chaud.

Tu n'as pas créé de commotion. Tu respires jusqu'au fond des bronches, tu te lèves et tu avances, la tête haute, en t'efforçant de ne pas rougir. Tu avances sans crainte, personne ne te regarde, à part deux ou trois voyeurs. Mais tout à coup un cri, puis une voix de femme, *Tu l'as vue ? Elle pourrait au moins se raser.* Et toute la plage se tourne vers ta toison rousse, les gens te montrent du doigt. Tu fais scandale, vraiment. Tu marches de plus en plus vite, tu franchis presque en courant les dix mètres qui te séparent de la mer. Car heureusement il y a la mer pour te cacher, te protéger, te donner le courage d'affronter de nouveau le courroux. Ou te conseiller d'attendre jusqu'au crépuscule le départ des nudistes pour sortir de ton refuge.

III

Le roman

J'ai tout de suite su que je ne voudrais pas repartir, la montagne est si ronde qu'on croirait qu'elle nous couve, une immense mamelle capable d'abreuver tout le petit village. Je rentrerais à regret, oui, en espérant déjà le prochain été. J'ai voulu venir seule, seule ici, moi qui vais toujours avec des amis à la mer, seule dans cette petite auberge nichée dans les arbres. L'année a passé si vite, les saisons si étroitement soudées les unes aux autres que je me suis réveillée, un matin, hébétée devant les lilas en fleur, je n'avais pas écrit une ligne depuis les dernières vacances.

Ici j'écrirais, sur le balcon jaune donnant sur la chambre peinte en jaune elle aussi, d'où l'impression de flotter entre ciel et terre. Flotter, c'est bien ce que je désirais, défier l'espace, comme les cerfs-volants qu'on voit courir, au crépuscule, entre les nuages. Tranquillité absolue, le vrai silence, enfin ce que j'appelle le silence, il n'y a pas cette musique américaine qui nous tambourine les oreilles dans les bars des grands hôtels, ou près de la piscine, pas de cette pollution sonore qui nous corrode peu à peu jusqu'à nous anesthésier. J'étais l'unique locataire, jusqu'à l'arrivée de cette femme, la mi-quarantaine, que j'ai aperçue hier soir alors qu'elle sortait du taxi, sa valise à la main.

À sa démarche, j'ai su qu'elle ne m'importunerait pas, et je me suis remise à mon roman. Même après tant de mois, les mots s'étendaient sur la page comme des chats qu'il suffisait de caresser pour qu'ils donnent à la phrase sa sensualité. J'ai souri. Peut-être cette femme était-elle venue pour soigner une blessure encore ouverte, ma première pensée est toujours de m'imaginer que les gens seuls sont malheureux. Mais peut-être désirait-elle oublier les bruits de la ville, tout simplement. Ou écrire, comme moi.

Ce matin, elle était debout devant la fenêtre donnant sur la roseraie quand je suis entrée dans la salle à manger, je ne l'ai vue que de dos, sa belle chevelure tombant sur les épaules, un petit chemisier blanc, bien repassé. Je suis allée m'asseoir devant l'autre fenêtre, celle qui ouvre sur l'odeur verte des arbres, dos à elle, pour ne pas être dérangée. Mais il a suffi d'entendre la voix un peu grasse de la patronne, *Alors, Mme Barreiro, vous avez bien dormi ?* et je me suis retournée malgré moi, c'était bien elle, Maria Barreiro, j'en étais sûre, la femme qui avait refusé de venir au chevet de mon frère. À deux reprises nous lui avions téléphoné, d'abord ma sœur, puis moi. Je m'étais humiliée, je l'avais presque suppliée, Jérémie l'avait profondément aimée et il ne désirait qu'une chose, la revoir quelques instants avant d'entrer dans le silence éternel. Maria Barreiro a commandé un café et des croissants de cette voix rauque, cassée que j'avais entendue au téléphone me dire *Non, je ne peux pas*, avant de raccrocher.

De son histoire avec mon frère, je ne savais rien, ou presque. Ils s'étaient rencontrés en voyage, elle l'avait suivi, ils avaient vécu ensemble pendant deux ans, puis ils s'étaient quittés. Jérémie ne l'avait jamais présentée à la famille. À Noël, elle retournait à Valence ou elle se rendait chez un oncle à New York. Ils avaient vécu leur histoire d'amour à l'abri de nous et je leur en avais à peine voulu, sans doute parce que j'espérais que cette femme s'évanouisse un jour sans laisser de traces.

Jérémie avait terminé ses études, il avait rencontré l'homme qui ne le quitterait plus, il avait été embauché en Californie, une belle carrière, comme on dit. Il avait été heureux jusqu'à cette maladie qui s'était nichée dans les reins, se propageait lentement, le rongeait, petit à petit, jusqu'à la moelle des os. J'avais versé des tonnes de larmes, ce n'était pas possible, lui, mon frère jumeau, celui qui avait partagé avec moi le ventre étroit de ma mère, m'avait donné des coups de pied puis, plus tard, m'avait tiré les oreilles, s'était moqué de mes seins à l'adolescence, puis de mes amoureux, il fallait bien mettre un peu de distance entre nous, maman n'avait-elle pas tout fait, depuis notre enfance, pour nous séparer ?

Tout l'avant-midi, j'ai peiné sur mon roman sans pouvoir ajouter une ligne. Depuis que j'avais entendu le nom de la femme, le récit que j'avais commencé ne m'intéressait plus. Devant la réalité, la fiction ne faisait pas le poids. Je n'avais qu'une idée, aborder Maria Barreiro, lui parler, savoir pourquoi elle avait refusé de revoir Jérémie. Ses beaux cheveux, son allure distinguée, ce n'était pas la femme à ruminer des décennies durant des projets de vengeance ni à se soustraire aux dernières volontés des mourants, il devait bien y avoir un motif. Mais même si elle l'avouait, qu'est-ce qui me prouverait qu'elle ne mentait pas ? Et pourquoi ce besoin de connaître la vérité, comme si mon sort en dépendait ? Il faudrait bien plus que la pauvre confession de Maria Barreiro pour me sauver de l'abîme laissé par Jérémie.

J'ai abandonné mes personnages à leur sort et j'ai marché jusqu'au village. Maria Barreiro était attablée à la terrasse du seul petit café, elle m'attendait, on aurait dit. Elle m'a souri et je me suis assise devant elle sans invitation. *Je vous ai suivie dans cet hôtel perdu*, a-t-elle simplement dit. Elle avait téléphoné à ma sœur, elle s'était fait passer pour une collègue, elle espérait que je ne lui en voudrais pas, a-t-elle ajouté à mon air surpris. Elle était belle, mieux conservée que moi qui avais toujours multiplié les bains de soleil, un rituel auquel je n'avais jamais dérogé, sauf l'an dernier. Je n'aurais jamais laissé Jérémie passer seul son ultime été.

Les larmes roulaient maintenant sur mes joues, j'en avais tellement voulu à cette femme de me prendre mon frère. Pendant les deux ans qu'avait duré leur histoire, je m'étais sentie comme un vieil objet qu'on remise au fond d'un tiroir. Ce cri de joie intérieur quand Jérémie m'avait annoncé leur séparation, mon accueil quand il était venu se réfugier chez moi, ma dévotion, lui montrer que j'étais là comme je l'avais toujours été avant qu'elle débarque dans sa vie, elle, Maria Barreiro.

Elle a demandé au garçon deux cafés, mais j'ai aussitôt corrigé d'une voix posée, *Un thé, un thé Earl Grey*, elle ne prendrait pas mes décisions à ma place, on ne boit que du thé dans la famille, elle devait bien le savoir, à moins que Jérémie ne se soit mis à boire du café avec elle. Tant de choses qu'elle connaît de lui et que moi, je ne connais pas. J'ai voulu formuler la question *Parlez-moi de Jérémie*, je me suis entendue dire *Parlez-moi de vous*. Amusée, Maria a répondu, *Vous serez déçue*, mais elle s'est prêtée au jeu. Sans doute pour amorcer la conversation, elle s'est mise à brosser sa vie à gros traits, enfance heureuse à Valence, malgré Franco, puis cette rencontre de mon frère, son désir de poursuivre sa vie ici, même après la rupture. Sa décision de retourner en Espagne maintenant, Jérémie n'étant plus là. Elle a aussitôt ajouté *Étrange de s'incruster dans un pays à cause d'un homme qu'on ne voit même plus, n'est-ce pas ?*

J'ai baissé les yeux par pudeur, en fait je n'ai jamais su si c'était à cause de Carlos que Maria et Jérémie s'étaient quittés, nous avions toujours été d'une infinie discrétion, mon frère et moi, éducation religieuse, pudeur familiale ou, tout simplement peut-être, le désir de taire ce qui, entre nous, resterait à jamais interdit. Des hommes qui m'avaient quittée il y en avait déjà eu, mais ce n'avait jamais été pour un autre homme, j'essayais d'imaginer la sensation dans les cellules, à la fois douleur et soulagement de savoir que ce n'était pas pour une autre femme. Sans pouvoir on était, sans pouvoir aucun, il ne restait qu'à s'abandonner à l'irrémédiable.

Elle avait le don de lire dans les pensées, Maria, elle s'est mise à parler de Carlos, elle l'avait laissé s'installer auprès de Jérémie sans protester, tout était perdu, de toute façon, et cela, depuis le début, il fallait se rendre à l'évidence, a-t-elle précisé en me regardant droit dans les yeux, il n'y avait de place que pour une femme dans la vie de Jérémie, et cette place était prise déjà, depuis sa conception, est-ce qu'on réussit jamais à s'immiscer dans une relation qui a commencé dans l'eau noire d'un ventre ? Je n'ai pas rétorqué. Je n'ai pas dit qu'avec son arrivée à elle, Maria, une fissure avait commencé à se creuser entre Jérémie et moi, c'était elle qui nous avait séparés pour de bon, c'était grâce à elle que nous avions pu aimer chacun de notre côté, voyager, vivre, mourir à notre heure sans entraîner l'autre dans le néant.

J'ai plutôt commencé à lui raconter le roman que j'étais en train d'écrire, une histoire d'exil. Chassé de son pays, un homme en éprouve d'abord une grande souffrance, il ne pense qu'à ceux qu'il a laissés derrière lui, confondant dans ses rêves sa mère, ses frères et sœurs, son chien, le soleil puis, à la suite d'une révolution, il peut rentrer, et retrouve tout, famille, chien, soleil, végétation tropicale, mais il se met à rêver d'hivers de glace et de neige, et revient dans le pays qui l'avait accueilli. Maria a tourné sa tasse de café dans ses mains, pensive, tandis que je réentendais l'histoire de Carlos, celle qu'il m'avait racontée durant les heures où nous veillions Jérémie à l'hôpital. Maria a simplement dit qu'elle, elle s'était exilée volontairement, mais elle était maintenant prête à faire la paix avec son enfance.

Moi, je n'avais jamais quitté mes premiers paysages. Manque d'imagination ou simples circonstances de la vie ? un peu de tout cela, sans doute. J'avais pourtant fait des voyages, découvert des pays dont je n'arrivais pas à déchiffrer l'alphabet, traversé la mer et quelques déserts, mais je n'avais jamais été dépaysée, du moins pas assez longtemps pour sentir qu'une autre femme pouvait surgir en moi. Pour me justifier, ou me consoler, je me plaisais à me répéter que c'est dans l'écriture que je devenais une autre, il faut dire que nous aimions nous répéter la phrase de Rimbaud, c'était plus facile que de tout abandonner pour aller user nos semelles en Abyssinie. Jérémie n'était pas non plus un explorateur, mais il était parti s'installer aux États-Unis, le royaume de l'informatique. La vie intime de Jérémie, nous ne la connaissions pas encore, même à moi il n'avait rien dit, il avait attendu ma première visite en Californie pour me présenter Carlos.

Tout avait été dit. Il nous suffisait d'être là, Maria et moi, enveloppées de l'ombre de la montagne, pour ressentir la présence de Jérémie, fantôme blond, brise tiède, corps de gloire qui nous regardait, de ses traits émaciés, et nous nous laissions regarder, je me laissais regarder, d'abord obliquement, puis de plus en plus directement, bien droit dans les yeux. Je suis entrée peu à peu dans un état étrange, comme si entre la vie des vivants et celle des morts, il n'y avait qu'une limite poreuse, une frontière incapable de nous séparer. Moi qui avais tellement lutté pour garder Jérémie quelques jours de plus dans ce monde, voilà qu'il m'entraînait dans son monde à lui, et c'était l'apaisement. Je lui avais survécu, mais il me pardonnait, il venait à ma rencontre, ici, dans ce village, en cet avant-midi de douceur.

Quand j'ai rouvert les yeux, des larmes sobres éclairaient le visage de Maria, et j'ai voulu croire qu'elle aussi venait de connaître, pour quelques minutes, une autre réalité. Sous l'éclat de midi, la montagne semblait s'élever dans l'espace, comme pour nous narguer. Maria devait aller faire ses bagages. Elle m'a invitée à lui rendre visite en Espagne. Je le lui ai promis tout en sachant très bien que nous ne nous reverrions jamais, mais c'était sans importance. Comme il était sans importance de savoir pourquoi elle avait tant tenu à me revoir.

Je l'ai regardée s'éloigner lentement, d'un pas un peu claudicant. Petit pincement à la poitrine, Jérémie ne m'en avait jamais parlé. Le garçon est venu vers moi avec le menu, mais j'ai fait signe que non. J'ai commandé une bière, puis j'ai sorti de mon sac mon cahier et ma plume. L'impression très nette que, si je ne me remettais pas immédiatement à mon roman, il resterait là où il en était, un tas de phrases rocailleuses, broussailleuses, un paquet de feuilles éparses, un manuscrit à jamais inachevé.

Le retour

C'est ainsi. Tout à coup, celle que vous avez appelée *maman* toute votre vie durant n'est plus qu'un point gris qui vous cherche sans vous voir, là-bas, sur le quai, la main gauche sur les yeux pour éviter le soleil. Vous savez qu'elle restera là, jusqu'au dernier regard, jusqu'au dernier signe de la main, aveuglée, vous devinant seulement derrière les fenêtres sales de l'autobus qui vous ramènera vers votre vie à vous. Oui, c'est ainsi, vous le direz tout à l'heure à votre mari, un verre à la main, l'air presque détaché. Mais il suffira d'un moment de silence pour que le chagrin vous revienne, vous ne serez plus qu'une petite fille qui n'accepte pas de voir vieillir sa mère.

Là-bas, il y avait des sirènes d'ambulance qui déchiraient le ciel, les nuits d'été, quand les fenêtres étaient ouvertes, le cri affolant des sirènes, et il vous semble que tous vos souvenirs tiennent dans ce long gémissement rattaché à la lourde silhouette de l'hôpital, tout près, sur la colline, à côté de la maison où avait habité Jovette Bernier, cette femme dont parfois votre mère vous parlait. Vous saviez déjà que vous vouliez écrire. Mais vous ne connaissiez pas encore le poids des mots, vous disiez *maman* ou *ma mère*, plus neutre, plus commode, vous détestez avoir l'air émue. Vous n'êtes jamais arrivée à dire *Aline*, comme si vous aviez l'impression d'entrer dans une chambre interdite, celle où votre mère se dévêtait devant les yeux muets de votre père.

Il y a des moments d'elle que vous ne voulez pas imaginer. Le moment où le ventre s'abandonne au plaisir, la peau qui se déchire sous la poussée d'un enfant, le corps froid, maquillé, étendu sous les lumières blafardes d'une salle trop fleurie. Vous savez cela, vous lui refusez le droit de mourir. Vous ne remarquez pas certaines hésitations dans la voix, vous riez, attendrie, lorsqu'elle parle de son cou, de plus en plus plissé, dit-elle, vous insistez sur le rosé de ses joues quand elle s'anime en racontant la vie de Proust qu'elle vient de terminer. Vous ne mentez pas, vous aimeriez avoir un visage aussi frais que le sien à son âge. Elle vivra vieille, très vieille, comme Eugénie, sa grand-mère. Et vous aussi. Vous écrirez jusqu'à quatre-vingt-quinze ans. Vous le jurez.

Votre peau à vous, elle est encore intacte, ou presque, quelques rides au coin de l'œil, alors pour vous rassurer, vous dites *intacte*. Comme la rivière qui coule lourdement dans son lit à travers le bruissement des feuillages. On ne sent pas l'odeur des déchets d'usine ni les taches d'huile qui flottent à la surface, une soupe grasse, une soupe de pauvres. Mais sans doute s'agit-il d'un autre temps. La rivière a retrouvé sa pureté, affirme votre mère, mais vous n'arrivez pas à y croire. Vous ne faites jamais ce trajet avec vos yeux de maintenant, vous cherchez à reconnaître chaque arbre, chaque rue, chaque église de cette ville que vous n'avez jamais tout à fait quittée.

Un jour, vous ne reviendrez plus, votre enfance sera enterrée dans le petit cimetière fleuri. Vous irez peut-être y jeter quelques fleurs en passant, avec l'une de vos filles. Mais vous ne vous arrêtez pas à cette pensée, vous la laissez flotter au bout du ciel, quelque part où l'horizon ne vous a pas encore atteinte. Pas encore. L'autobus se prépare à s'engager sur la bretelle qui mène à l'autoroute. La ville est derrière vous. Vous cherchez le magazine que vous avez acheté pour le voyage. Le voici. Vous tombez sur la couverture de *À l'ombre des jeunes filles en fleurs*. Vous souriez. En vous le remettant, votre mère a dit *Tous ces gens riches. Et insouciants. J'aimerais bien avoir le point de vue de la bonne.* Vous repensez aux vêtements donnés pas les cousines, aux cours de piano que vous ne pouviez pas suivre, aux sous noirs pour la Sainte-Enfance, à cela que vous entendiez appeler *budget*. Le mot *pauvreté*, il était réservé aux autres, les vrais pauvres, les fillettes de l'école qui n'avaient pas de robe du dimanche. Vous comprenez tout à coup pourquoi vous avez attendu tant d'années avant de lire Proust.

Tout de même, il y avait le bonheur. Pas le nom, trop direct, trop crâneur. Plus modeste, le bonheur que vous entendiez à la maison, le petit bonheur contenu dans l'adjectif *heureuse*. *Vous êtes une femme heureuse*, c'est Théo Chentrier qui le dit à la radio, avec sa voix de patriarche. Il parle à votre mère, elle lui a écrit. Tous les matins à dix heures, il répond aux lettres qu'on lui envoie, et votre mère colle son oreille à la radio pour ne perdre aucune syllabe. Les jours de congé, vous écoutez aussi, assise dans la berceuse, et vous apprenez la vie, les maris qui ne se lavent pas, les rivalités entre belles-sœurs, la méchanceté d'une voisine. La jalousie. C'est là que, pour la première fois, vous voyez votre mère comme une femme qui cherche à être heureuse, son mari, ses enfants, l'art de transformer les petites choses en éclats de lumière. *Un art de vivre*, dit Théo Chentrier, et votre mère sourit. Ensuite, il y aura *Je vous ai tant aimé*, et vous entendrez le bonheur en majuscules, celui des passions et des tremblements de voix. Un jour, vous serez grande, vous ne serez plus emmêlée à la vie heureuse de votre mère, vous connaîtrez vous aussi les extases des grandes amours.

Un coin de ciel trop bleu, une vieille grange, l'immo-
bilité des vaches dans un champ, vous ne savez pas quelle
image, à travers la fenêtre, vous ramène à votre premier
voyage à Montréal, avec ce garçon qui allait devenir votre
amant. Vous aviez des dessous noirs, achetés en solde, et
du vernis sur les ongles. Vous vous exerciez à porter votre
cigarette à vos lèvres, élégamment, comme au théâtre, vous
vouliez un mari qui ne ressemblerait pas à votre père. Un
homme chic, avec de belles manières, un homme capable
de lire et d'écrire couramment. Le soir, tous les deux, vous
discuteriez de littérature et de cinéma, puis vous feriez
l'amour en poussant de grands cris. Vous seriez fière de lui
quand, à son bras, vous iriez chercher les bulletins des
enfants à l'école.

Il vous faudrait plusieurs années avant de savoir
distinguer les livres de la vie vraie, plus d'années encore à
comprendre l'amour de votre mère pour votre père. Maintenant, vous le savez, elle l'aimait, et elle attend de vous
que vous l'aimiez aussi. Vous voudriez lui dire que vous
l'aimez, bien sûr, mais pas comme un père. Comme un
oncle ou un cousin qui aurait partagé la même maison que
vous. Comme un être trop démuni pour vous protéger.
Oui, cela, il faudrait le dire à votre mère, et pourtant. Il y a
des choses de vous que vous seriez incapable de lui avouer.

Tous les jardins, tous les parcs

Ce sera là, nous nous retrouverons là, sur un banc, c'est ce qu'elle veut imaginer. Il sera en train de lire un roman, un best-seller américain, le dernier Paul Auster, tiens, et elle s'approchera, s'assoira à côté de lui, sur le même banc de bois peint. Elle ouvrira une revue, pour la forme, oui, pour se donner une contenance, le temps de voir. Ce sera là. Quand elle aura appris de nouveau sans lui, qu'elle sera redevenue une femme sans lui, une femme qui n'attend plus.

Elle le lui a demandé et il est parti. Pas de cris, pas de gestes malheureux qui brisent les derniers espoirs, seulement une phrase, *Maintenant pars, veux-tu*. Il s'est dirigé vers la porte sans se retourner et elle garderait à jamais cette image de lui, deux jambes dont elle connaissait le pas qui la précédaient sans le corridor avant de disparaître dans la nuit. Elle l'a suivi des yeux jusqu'à son auto, elle savait que c'était fini autant qu'on puisse dire, entre nous c'est fini, sans qu'on arrive au début à y croire.

Et l'on se retrouve seule comme on l'est quand tous les mots ont été prononcés. Mais il suffit de si peu pour se souvenir, un mouvement, la main dans les cheveux, le rappel d'une ville qui redonne place au désir, Rome ou Athènes, les rues étroites où l'on marchait main dans la main, des images du bonheur, deux corps dans la langueur d'un début de soirée. Combien de temps pour oublier, pour que le cœur redevienne un muscle creux ? Elle reste là, face à une douleur qu'elle ne sait pas nommer. Elle a dans le miroir les yeux de certains survivants qui ont perdu leur âme sous les décombres. Survivante, malgré tout. Il faudra bien réapprendre, les repas, le rire et la douceur d'un autre regard, il faudra bien.

Juillet déjà qui vient, les jours et les nuits s'enlisent dans une durée informe. Elle demeure immobile durant de longues heures, à attendre elle ne pourrait préciser quoi, peut-être seulement ce qu'elle n'attend plus. Elle doit alors s'arracher à la torpeur et bouger, poser les pieds sur le sol pour éviter de se pétrifier. Dans la rumeur nerveuse des fins d'après-midi, elle marche jusqu'à ce que ses jambes ne la portent plus. Elle se fraie un chemin dans la foule bigarrée des sorties de bureau, elle va se terrer dans le parc. Elle a son banc, son banc à elle, devant l'étang, celui où un jour elle le reverra. Aura-t-il beaucoup vieilli, aura-t-elle du mal à le reconnaître avec les rides et les cheveux gris ? Retrouvera-t-elle ce sourire lisse et franc ?

Tous les jours, le parc, tous les jours, le banc. À espérer, un autre état de grâce, les mêmes odeurs, les lieux. Nous nous retrouverons, oui. Où est-elle quand il s'assoit sur le banc, juste à côté d'elle, sans qu'elle l'ait remarqué ? À peine si elle tourne la tête quand il lui montre l'enfant au bord de l'étang, un garçon blond qui s'amuse à lancer des cailloux à des canetons. Elle écarquille les yeux, soudainement ramenée à la réalité. *La violence chez cet enfant*, dit-elle, *il faudrait faire quelque chose*. Mais déjà la cane a déplacé ses petits. L'enfant, interdit, lance ses derniers cailloux sur le tronc d'un érable. Et part en courant.

Il reprend, *La violence chez cet enfant*. C'est alors qu'elle le regarde vraiment, son visage, les traits de son visage, les lèvres un peu épaisses, le nez droit, elle l'examine comme si elle n'avait pas vu un homme depuis très longtemps. Il ne semble pas s'en étonner, il se laisse regarder, puis se décide à rompre le silence, *Vous venez tous les après-midi.* Elle détourne la tête pour se protéger. Elle murmure seulement *J'apprends la solitude* et s'entend répondre *Je sais. Votre façon de marcher comme si vous ajustiez encore votre pas sur celui d'un autre.* Elle le revoit qui avance dans le corridor, pour la dernière fois qui franchit le seuil, descend les marches de l'escalier, jusqu'à son auto.

Elle doit avoir l'air absent, car il répète, *Comme si vous ajustiez encore votre pas sur celui d'un autre.* La formule a quelque chose de déconcertant, elle se voit trottiner derrière une ombre et elle sourit, elle lui sourit. Il s'approche doucement, glisse le bras autour de son épaule et risque une banalité sur la lourdeur de l'air, l'orage ne va pas tarder, elle fait signe de la tête, oui l'orage, peut-être sera-t-on surpris dans le parc, quelle importance ? Mais il lui affirme qu'il faut partir et elle se retrouve debout, à côté d'un homme qui l'entraîne vers la rue.

Combien de temps marchent-ils sans dire un mot ? elle ne pourrait le préciser, il lui a pris le bras et elle le suit, engourdie. Elle n'acquiesce ni ne refuse quand il lui suggère de dîner dans un petit bistro dont il connaît bien le patron, elle se voit entrer dans une pièce trop éclairée, s'asseoir à la place que lui désigne le garçon sans comprendre ce qui lui arrive, elle a souri à cet homme et voilà qu'elle mangera avec lui, comme s'il était l'autre. Elle pense à tous les repas qu'ils ont pris ensemble dans des restaurants semblables à celui-ci, les rires, l'intimité de la conversation, ce qu'on appelle une histoire, comme dans les livres, cela oui, l'intimité, les rires, les projets, les rires encore, et l'amour après qu'on eut pris un peu trop d'alcool, la soirée qui s'achève très tard au fond d'un lit froissé.

Elle baisse la tête, essaie de se concentrer sur le menu et commande, d'une voix qui se veut assurée. Il lui demande si elle prendra du vin et elle fait signe que oui par bravade, pourquoi pas ? la douleur pourra bien être déposée dans un tout petit coin du cœur, le temps d'un repas, le temps de se faire croire qu'on est encore vivante. Il lui offre du pain et elle remarque qu'il a de belles mains, des doigts larges aux ongles bien taillés. Elle rougit. Comme si elle n'avait pas le droit de regarder, pas encore. Il lui parle, il sait faire la conversation, voilà qu'il lui pose des questions sur son métier, elle s'entend répondre *Journaliste à la pige*, et il s'en trouve satisfait, elle n'a pas besoin d'entrer dans les détails, les contrats glanés ici et là pour des revues de décoration, le budget serré certaines fins de mois, celui-ci par exemple où elle n'a pas réussi à abattre le travail habituel.

Et lui ? *Sculpteur*, précise-t-il, le mot la retient, de nouveau elle pose les yeux sur ses mains, des mains de sculpteur. Pendant un instant, elle se demande de quelle façon des doigts comme ceux-là caressent le corps d'une femme. Elle chasse l'image et tente de s'intéresser à ses explications, mais seuls des mots isolés lui parviennent, *métal, marbre, ébène, installation*. Elle acquiesce d'un signe de tête, bientôt elle devra bien articuler une phrase pourtant, comment y parvenir ? Mais il enchaîne déjà sur les vacances, il a une maison de campagne, il partira bientôt, dans deux ou trois semaines, et elle, voyagera-t-elle ? Elle pourrait venir passer quelques jours chez lui, le ruisseau, la montagne, elle rentrerait à Montréal tout à fait reposée. Il le lui fait promettre. Elle promet, sans se trouver engagée pour autant. Elle pourra bien se raviser à la dernière minute, lui-même aura probablement oublié dans quelques heures. Que sait-elle de lui ? elle n'a même pas retenu son prénom. Elle ne lui a d'ailleurs rien demandé, il est venu la chercher sur son banc, dans le parc, un soir d'orage.

La pluie tombe dru maintenant et elle se sent tout à coup plus à l'aise. Lui, devant elle, meuble le silence comme s'il craignait que la fragilité du moment ne les engouffre tous les deux. Lui plaît-il ? Elle ne saurait le dire. Et pourtant il lui semble que quelque chose de très confus en elle a déjà répondu oui. L'impression qu'elle se laisserait déshabiller par cet homme-là. Elle aurait envie de fuir, elle se dirigerait vers la porte, disparaîtrait dans le crépuscule. Mais elle reste là, à écouter en hochant doucement la tête, jusqu'à cette phrase, *Est-ce que vous acquiescez constamment de cette façon ?* Le ton s'est fait impatient, elle le déçoit. Au fond du verre, elle aperçoit son image noyée. Elle s'efforce de se lever, ramasse son sac et sort. Les éclairs déchirent la ville, quelques secondes à peine et elle sera détrempée. Déjà les vêtements lui collent à la peau, mais elle marchera jusque chez elle plutôt que de héler un taxi, surtout ne pas avoir à retenir ses larmes. Elle marchera, seule dans les rues.

Elle sent une main frôler son bras et elle pousse un cri. Puis elle s'apaise et dit simplement *Vous m'avez fait très peur.* Elle ne l'a pas entendu venir. Il s'excuse, *J'ai eu moi-même très peur. De vous perdre.* Il habite à trois minutes de là, il l'invite chez lui, ils ont tant à se dire. Elle n'arrive pas à comprendre ce qui a réussi à la persuader, le ton peut-être, une sincérité, cet aveu, comment peut-il avoir craint de la perdre alors qu'elle circule sur une planète dévastée, perdue déjà pour elle-même ? Il la mène à un logement aux vastes fenêtres. Pour la lumière, précise-t-il, tandis qu'il lui fait voir ses plus récentes sculptures. Elle regarde sans oser s'approcher, troublée par ce monde qu'elle ne soupçonnait pas, un monde étranger, déconcertant auquel elle se fait, métal et angles aigus qui retiennent l'espace dans l'absolu de leur audace.

Il lui tend un peignoir, ample, un peignoir à lui. Elle va retirer ses vêtements dans la salle de bains. Quand elle

revient, il se met à rire. *Vous avez l'air d'une naufragée.* Elle
éclate, elle aussi, sa tension est tombée, elle peut avoir
confiance, il ne veut pas la brusquer. Maintenant il prépare
du thé, il appuie sur *très chaud*, lui demande de choisir la
musique. Elle tire de sa pochette un album de Philip Glass,
l'espace devient habité, elle pourra parler, elle parlera.

On parle, de tout, de ces petits faits qui donnent an-
crage à la vie, la rénovation du logement, l'organisation du
temps quand on travaille à la pige, les derniers succès du
cinéma. Il prépare de nouveau du thé, et encore du thé,
jusqu'à ce que les premières lueurs de l'aube viennent
traverser la fenêtre à demi cachée par les plantes. Elle parle
comme si elle était celle d'avant. Elle a été aussi cette
femme-là, cette vérité lui revient, entière, par la seule présence de cet homme.

Déjà monte la rumeur de la ville, le jour ne tardera plus,
mais elle est trop épuisée pour rentrer. C'est elle qui
demande si elle peut s'étendre sur le canapé. Il propose son
lit, on pourra bien dormir côte à côte, sagement, elle n'a
rien à craindre. Elle se laisse conduire jusqu'à la chambre.
À peine le temps de remarquer les motifs abstraits des
draps et elle s'abandonne au sommeil, un sommeil sans
fond, sans rêves ni drames. Quand elle se réveille, le jour
est déjà haut, elle ne pourrait préciser l'heure. Elle se rappelle qu'elle a dormi à côté d'un inconnu et n'ose tourner
la tête. Mais il est déjà levé et elle peut prendre le temps de
retrouver sa place dans la réalité.

Sur la table de chevet, tout à côté, elle remarque le titre
du dernier roman de Paul Auster, la coïncidence l'amuse.
Curieusement, elle ne se sent pas submergée par sa peine,
la journée se présente presque légère. Et voilà qu'il revient
avec un plateau, café croissants confiture. Il sourit, temps
magnifique, est-ce qu'elle accepterait de passer la journée
avec lui? On se promènera, on pourra retourner dans le

parc si elle le désire, nourrir les canards, manger à une terrasse, on a tant à faire. Et il n'a pas le goût de la voir partir.
Il a prononcé la dernière phrase presque timidement.
La seule réponse possible, c'est celle-ci, *Je suis une femme
blessée*, mais il s'approche d'elle dans l'odeur chaude du
café et elle se laisse caresser la nuque, et le dos, alors qu'il
lui enlève son peignoir, lentement, pudiquement. Elle se
cache le visage dans ses mains, puis elle se tourne vers lui,
comme on se fait violence quand on a pris certaines décisions, il faut bien qu'il y ait une première fois, alors pourquoi pas ce matin, sentir le souffle d'un autre homme dans
son cou, d'autres lèvres sur ses seins, elle s'offre, elle le
regardera la prendre sans être capable d'articuler une
parole, elle devra acquiescer, à chaque moment acquiescer,
dire oui au rituel.

Au moment où il pose sa main sur sa cuisse, il
remarque les larmes qu'elle essaie de contenir. Il glisse sur
le côté et se colle contre son épaule en risquant *Tu n'as pas
l'air d'une femme prête à laisser chanter les archanges*. Elle
esquisse un sourire, puis un rire entremêlé de sanglots,
mais elle rit tout de même, il a eu les bons mots, il est là
tout près d'elle à lui caresser les cheveux et elle lui avoue,
d'une voix cassée, *Tu devras te montrer patient avec moi*. Elle
l'entend lui murmurer *Madame veut-elle que je sorte le jeu
d'échecs ?* Elle le reprend sur ce mauvais jeu de mots, il jure
qu'il n'a pas porté attention, *Vraiment pas*, dit-il en l'embrassant sur l'oreille, qu'est-ce qu'elle préfère, café croissants d'abord et on va se promener ? Ou s'asseoir ensemble
sur le banc au parc ?

Elle fait non de la tête. Pas le parc aujourd'hui, on peut
trouver un autre endroit, le Jardin botanique, le Vieux-Port
ou un lieu où elle n'est jamais allée. Rassurée maintenant.
Elle cherche son regard. Une tache de lumière bouge sur la
fossette de la joue droite, il a tout à coup l'air d'un gamin.

Elle lui passe lentement le doigt sur le visage, comme pour s'apprivoiser, être certaine de le reconnaître, et elle lui murmure *Crois-tu que le café peut attendre?* D'où lui vient cette phrase? Il la renverse tendrement. *Le café,* répond-il, *le Vieux-Port, et tous les jardins, tous les parcs du monde.* Il l'embrasse. Elle se laisse embrasser, elle accepte. Bientôt, il s'enfoncera dans son secret, il naviguera en elle. Elle sentira venir, au plus profond de son ventre, une première déchirure.

La broche

à Werner Nold

L a salle grouillait, des gens bien habillés, bien coiffés, distingués — ou du moins qui s'y essayaient —, il faisait une chaleur de canicule même si on était au milieu de mai, quelle idée de venir à cette fête ? Mais vingt-cinq ans pour une maison d'édition, dans un si petit pays, voilà qui mérite le déplacement, un peu de mémoire, un peu de gratitude tout de même, je ne cessais de me le répéter quand je l'ai aperçue, près de la table où l'on servait le vin. Cheveux roux, robe noire, un éternel bijou en argent accroché au-dessus du sein gauche, aussi jolie qu'avant son départ aux États-Unis, il y avait vingt ans, ou presque. Elle m'a tout de suite reconnue et je me suis faufilée à travers les grappes humaines qui se formaient. On riait, on s'exclamait, on s'embrassait, quelle merveilleuse occasion de se retrouver, ici, ensemble, après toutes ces années ! Elle m'a ouvert les bras, mais je suis restée de marbre, hypnotisée par son bijou, une poire en argent massif. Ma poire, celle qu'on m'avait prise lors du cambriolage chez moi, à la mi-mars. C'est un ami qui me l'avait faite après avoir suivi des cours de joaillerie, *Une poire avec des feuilles de noyer*, avait-il précisé en me l'offrant pour mon anniversaire.

J'ai plaidé la chaleur insupportable quand elle m'a demandé si ça allait, et elle a ajouté, *La ménopause ?* J'ai acquiescé, j'aurais acquiescé à n'importe quoi pour me donner le temps de reprendre mes esprits, ce n'était sûrement pas elle, après tout, qui s'était introduite chez moi par effraction un dimanche après-midi de concert. Mon indignation à la brunante quand j'avais trouvé mon appartement comme un champ de bataille, les tiroirs, les garde-robes, le classeur. *Le coup a été fait par des professionnels*, avaient dit les policiers d'une voix assurée. Les cambrioleurs avaient pris mon passeport, mes cartes, mon ordinateur portatif et mes bijoux. Mes bijoux. Pas de diamants ni de pierres précieuses, non, mais des souvenirs, des achats faits au fil de mes voyages, breloques trouvées dans des marchés aux puces, cadeaux à l'occasion de Noël ou d'un anniversaire, comme cette poire à laquelle je tenais plus qu'à mes dents. J'avais pleuré ma peine et ma colère, puis je m'étais apaisée, mais la scène me revenait, avec la peine et la colère, je bouillais comme un volcan.

Comment ai-je pu me contrôler ? J'ai réussi, apparemment. Avec un calme absolu, j'ai regardé la poire tressauter sur la poitrine généreuse de Marie-Claire, tandis qu'elle me racontait avec moult détails sa vie mouvementée en Oregon. Je ponctuais, gestes, mimiques, monosyllabes, en cherchant la formule qui me permettrait d'en arriver à sa jolie broche en argent, elle a toujours eu tellement de goût ! Mais un grand cri tout à coup. Mon visage a dû s'affaisser, Odile nous est tombée dans les bras, rien de plus prévisible pourtant, les gens n'étaient-ils pas venus ici pour se revoir ? Puis Solange, avec ses boucles châtaines, et le beau Paul-André. Selon mon souvenir, il avait eu une aventure avec Marie-Claire, oui, j'en étais sûre à la façon dont ils se sont regardés, au fond des yeux, là où surgissent des images qu'on croit oubliées.

J'ai décidé de rentrer, maintenant je n'ai plus la patience d'attendre les miracles. Salutations, baisers, *Il faudrait provoquer d'autres occasions*, a dit Marie-Claire. J'en ai profité pour lui glisser ma carte dans la main et j'ai franchi la porte d'un pas allégé. Une brise fraîche, on respirait mieux, j'ai décidé de marcher, une promenade me permettrait de remettre mes idées en place, il avait suffi de voir ma broche sur le sein de Marie-Claire pour attiser ma nostalgie. On a beau ne pas vouloir se complaire dans le passé, n'empêche, tout un pan de ma vie resurgissait, les espoirs, les amours, les amitiés, les convictions, nous avions milité ensemble, Marie-Claire et moi, j'avais eu mon fils quelques semaines seulement après la naissance de sa fille, une fillette adorable, Émilie, jusqu'à ce qu'elle tombe amoureuse d'un *pusher* à la polyvalente. Histoire classique. L'inquiétude dévorante de Marie-Claire, elle était au bord du gouffre quand on lui avait offert ce poste à Seattle, un cadeau inespéré. Sa fille n'avait même pas été mécontente de déménager sur la côte Ouest, comme si elle avait enfin une bonne raison de laisser son copain. Émilie était elle aussi de retour à Montréal, c'était la seule précision qu'avait eu le temps de me donner Marie-Claire, j'en saurais davantage quand nous nous reverrions. Elle me téléphonerait, j'en étais sûre. De fait, le soir même elle m'a laissé un message. Elle me proposait un repas au bistro où nous allions toutes deux autrefois, les jours de grandes conversations.

Aujourd'hui encore, le soleil pèse sur la ville comme en juillet, on se bouscule aux terrasses des restaurants. Il n'y a personne à l'intérieur de la salle, je m'installe à une table tranquille près de la fenêtre, je jette un coup d'œil aux passants, Marie-Claire est en retard selon sa vieille habitude. La voici avec ses verres fumés, elle sort d'une Jaguar décapotable, puis se retourne pour envoyer un baiser au conducteur, cheveux noirs gominés, début quarantaine, le genre que j'ai toujours trouvé insupportable, à la frontière entre le fils de famille et le baron de la pègre. Le contraire absolu de Paul-André. Mais Marie-Claire n'a jamais été à une contradiction près, même dans les années pures et dures, ce qui me la rendait attachante, même si elle semblait suspecte à beaucoup de militants.

Encore sous le choc, je ne remarque pas son corsage nu quand elle s'assoit devant moi. Aucune pensée pour ma broche abandonnée au fond d'un tiroir, ou sur une commode, je n'ai d'intérêt que pour sa nouvelle flamme, elle ne m'en a pas touché un mot à la fête, ce n'était pas l'endroit idéal pour raconter ses conquêtes, il faut dire. J'essaie de garder un air désinvolte en affirmant *Tu as l'air dans une forme splendide.* Mais nous sommes aussitôt interrompues par la serveuse, sommes-nous prêtes à commander ? Nous nous rabattons sur le menu du jour pour reprendre le plus rapidement possible nos propos, après tout c'est pour renouer que nous nous sommes donné rendez-vous. Quinze ans, nous pourrions passer des journées entières ensemble à nous raconter le meilleur et le pire. Comment avons-nous pu nous perdre pendant toutes ces années ? Pas moyen de tourner la conversation vers l'homme à la Jaguar, comme s'il n'existait pas pour Marie-Claire. Je m'exerce à la patience en donnant rapidement des nouvelles de mon fils, oui, Philippe vient de terminer sa maîtrise, emploi précaire pour le moment, sa situation ressemble à celle des autres jeunes de son âge, il continue une vie en ligne droite, telle mère tel fils, il faut croire. *Je n'ai jamais été aussi audacieuse que toi,* dis-je en appuyant. Marie-Claire rit mais n'accroche pas à l'hameçon. Les yeux attendris, elle murmure *Tu te souviens quand nous amenions les enfants à la Ronde ?*

Devant nos yeux défilent les images d'un film dont nous connaissons les moindres scènes, l'excitation de

Philippe et d'Émilie, les petits visages couverts de barbe à papa, mon vertige dans la grande roue, l'épuisement le soir, au retour, dans le métro. Un petit serrement à la poitrine, tant d'années déjà, nos enfants ont maintenant l'âge que nous avions à l'époque, je trempe moi aussi les lèvres dans mon verre de vin sans ajouter un mot. Marie-Claire trinque à notre santé, elle aussi a horreur des formules éculées sur le temps qui nous gruge.

Pour revenir au présent, je demande des nouvelles d'Émilie, et le visage de ma vieille amie s'éclaire de nouveau, à n'en pas douter sa fille aura été le grand amour de sa vie. Marie-Claire est intarissable quand elle commence à en parler, elle reprend tout depuis son départ pour Seattle, le *high school*, l'université, les bonnes notes, la bonne conduite, les bonnes manières, les bonnes fréquentations, et je l'écoute d'une oreille distraite, attendrie, décidément une mère est une mère est une mère, nous ne sommes pas différentes des femmes qui nous ont précédées, malgré toutes nos critiques et autocritiques.

Maintenant le café, et je n'ai encore posé aucune question sur ma broche, il me faudrait bien en venir là pourtant, alors que Marie-Claire me raconte le grand amour de sa fille, oui, *Émilie est mariée, bien mariée d'ailleurs*, dit-elle en ménageant ses effets. Un homme d'affaires qu'elle a rencontré à bord d'un avion, il voyage beaucoup, import-export, c'est d'ailleurs lui qui est venu la conduire, dans une Jaguar s'il vous plaît, elle me l'aurait présenté s'il n'avait pas eu un rendez-vous urgent. Je prends ma dernière gorgée de vin pour dissimuler un fou rire, tandis que Marie-Claire continue son éloge, si attentionné Dave, il lui a offert une broche en argent pour la fête des Mères. La poire qu'elle portait hier? Oui, celle-là même qui semblait me plaire. Un modèle unique, cette poire, précise Marie-Claire, et je réussis à demander si le Dave en question l'a trouvée à Montréal. Marie-Claire l'ignore, il a tellement de relations, son gendre, tellement d'activités, et puis il fait de fréquents séjours à l'étranger, c'est sa seule inquiétude de mère, qu'Émilie se sente seule, parfois, quand elle aura son bébé. Émilie, un enfant avec lui ? Elle s'arrête, ravie de ma stupéfaction, elle a vraiment réussi à me faire une surprise.

À la table voisine, la femme me regarde, j'ai dû presque crier. Marie-Claire croit que c'est l'émotion, ou l'envie, moi aussi j'aurai la joie d'être grand-mère, un jour, elle me le souhaite, Philippe rencontrera une jeune femme aussi bien que Dave. Un drôle de sentiment me submerge, un malaise, quelle naïveté, Marie-Claire ! Et pourtant je ne dis rien, amitié ou manque de courage, je ne sais pas. J'ouvre mon sac pour prendre mon porte-monnaie, j'effleure la photo de ma poire, je l'avais apportée pour bien lui montrer qu'elle m'appartenait, mais elle restera dissimulée. J'essaie de m'éclaircir la voix pour articuler *Je t'invite, Marie-Claire, je tiens à t'inviter.*

Une bouteille à la mer

Vous avancez dans le noir de vos yeux fermés, vous ne savez pas où vous mènera le chemin. Depuis que votre mère est morte, vous suivez une route sans lumière. Votre mère est morte, vous le dites, mais elle est bien vivante encore. Vous le dites pour vous habituer, pour savoir le dire quand ce sera le moment. C'est peut-être une trahison mais, malgré tout, vous le dites. Votre mère est morte. Vous voudriez que ce soit comme sa mère à elle. Sans agonie.

Un après-midi comme les autres, les intestins tout à coup se vident, on appelle, on a honte d'avoir souillé les draps blancs, et puis on meurt, dans la honte des matières sales. Votre mère est là, vous êtes là, seules toutes les trois. Votre grand-mère, avec sa honte des intestins qui se vident, votre mère et vous. *Juste avant la mort, les intestins*, a murmuré votre mère. Voilà ce que vous avez retenu de cette mort-là. Le corps qui, une dernière fois, fait son travail. Vous n'avez pas vu votre mort à vous. Cela, les adolescentes ne peuvent pas le voir.

Ni héroïque ni désespérée, la mort des femmes de votre sang. Elles ne vont pas à la guerre, ne se suicident pas. Une mort banale, qu'on ose à peine écrire. Comme la vie, sans fracas. Les années qui se suivent, les enfants, la nourriture tous les jours, les vêtements qu'on coud à la lumière des lampes, plus tard les petits-enfants. Puis un jour le fil se casse, on ne l'a pas vu peu à peu s'effilocher. Aveuglément, c'est peut-être ainsi qu'il faut avancer. Vous ne faites pas autrement.

Mais vous exagérez. Elle voit, votre mère, elle a peur souvent. La peur de ne pas achever de s'éteindre, de s'éterniser dans une vie de morte vivante. On ne peut pas savoir de quelle manière on finira. Elle l'avoue en chuchotant, tard le soir quand, dans l'immeuble où elle demeure, le temps est arrêté. Elle l'avoue et vous cherchez des mots qui pourraient la rassurer, mais vous ne trouvez pas. Alors vous vous taisez. Vous écoutez.

Vous vous taisez, vous vous êtes toujours tue devant elle. Vous avez beau vous asseoir bien droite sur votre chaise, ouvrir la bouche, les mots s'agglutinent dans votre gorge, ils vous empêchent parfois de respirer et vous ne pouvez que répéter des phrases usées. Devant elle, vous êtes encore l'écolière qui lui rapportait de beaux bulletins pour la voir sourire, à la fin du mois. Vous étiez la petite fille parfaite, et vous reprenez votre rôle chaque fois que vous lui rendez visite. Vos sœurs aussi. À défaut d'une vie facile, elle aura eu de bons enfants.

Elle aura été ce qu'on appelle une bonne mère. L'amour, les soins, la joie dans la maison, les devoirs puis les leçons après la classe. Et les livres de contes qu'elle vous lisait le soir, en vous mettant au lit, et les reproductions de tableaux qu'elle sortait doucement de leur pochette les dimanches d'automne quand il pleuvait. Elle vous aura appris le nom de Renoir, de Cézanne, de Degas et de Monet bien avant le collège. Vous lui en êtes reconnaissante, vous le dites maintenant sans rancœur, ce n'est pas parce que vous n'êtes jamais arrivée à parler avec elle que vous ne pouvez pas l'apprécier.

Parler, dire quelle femme vous êtes devenue au fil des ans, vous avez essayé. Mais vous vous êtes butée à un mur de silence. Un jour, vous avez commencé à penser que, du fond de sa vie rangée, votre mère ne pouvait pas vous entendre, vous, avec vos emportements. Elle avait peur de vous comme maintenant de la mort. Bien sûr, il a fallu finir par comprendre, mais encore vous rêvez que votre mère vous parle comme à une femme. Vous vous asseyez devant elle, elle vous regarde en souriant, elle vous demande *Comment vas-tu ?* Et vous commencez à lui parler avec une voix vraie. Mais vous revenez bientôt à la réalité.

Petit à petit on se rend à l'évidence, on ne peut changer personne, encore moins sa mère. Vous vous souvenez à quel moment précis vous avez renoncé. Un matin de neige, vous aviez décidé de lui parler de votre tante, vous avez employé le mot *folle* pour mettre des mots sur le passé. Mais vite votre mère a nié. Elle est revenue à ses vieilles conversations, la maison, les voisines, les emplettes de la semaine. Elle vous avait bien entendue pourtant, de cela vous êtes certaine, mais elle a refusé d'ouvrir la brèche que, pendant une fraction de seconde, vous avez aperçue dans ses yeux.

Vous dites *brèche*, mais ce mot est-il capable de nommer ce que jusque-là elle avait réussi à vous cacher? Depuis, vous savez cela, il y a une tache aveugle, un trou au milieu de sa vie, un gouffre qui la menace aussitôt qu'elle s'en approche. Alors, elle le contourne, elle l'entoure, elle fait toute chose comme elle doit être faite, elle dit, *Il ne faut pas s'écouter.* Elle aura passé sa vie à ne pas s'écouter.

Mais comment auriez-vous agi, vous, si un jour l'une de vos sœurs était devenue folle sans qu'on sache la soigner? Les psychiatres, les électrochocs, les médicaments, et vos grands-parents qui n'arrivaient plus à s'occuper de votre tante, vous vous souvenez de ces conversations à voix basse lorsque vous étiez enfant. Vous vous souvenez que vous restiez bien sage en vous demandant si un jour, vous aussi, vous seriez internée. Et la peur sourde qui vous faisait venir le sang aux tempes.

Peur, peur, peur, décidément c'est ce que sans cesse vous ramène le passé. Votre mère aussi sans doute. Elle aura traversé sa vie en mettant doucement les pieds l'un devant l'autre pour ne pas tomber. Vous auriez souhaité qu'elle puisse vous apprendre à courir ou à valser, mais c'est seule que vous avez esquissé vos premiers pas de danse. Plus jeune, vous lui en avez voulu, ne le niez pas, même quand il vous arrivait d'espérer. Vous vous voyiez marcher bras dessus, bras dessous, toutes les deux, vous alliez au restaurant ou au théâtre, avec elle vous aviez ce plaisir qu'on a au moment des belles confidences. Un jour, vous avez vu qu'elle était devenue vieille, et vous avez renoncé, vous avez repris votre rôle de fille aimante.

Entre vous, il n'y a pas eu de paroles, mais des tas de gestes. Les pots de confiture l'automne, les bas tricotés l'hiver, les blouses raccommodées près de la fenêtre. On peut aimer sans savoir parler. Votre mère vous aime, oui, vous aime comme une petite fille, mais non comme la femme qu'elle ne peut plus protéger. Cette femme-là lui échappe, elle ne veut en connaître ni la force ni les fragilités. Alors elle ramène à elle dans une bulle depuis longtemps crevée l'enfant rousse aux yeux roux, et elle vous raconte des anecdotes cent fois racontées. Pour masquer l'ennui, vous écoutez en guettant le moindre mot sous les mots, celui qui révélerait l'énigme de votre mère.

Un jour, son ventre rendra ses dernières matières. Vous espérez être là, à côté, comme elle avec sa mère. Vous la nettoierez, vous ferez les gestes qu'elle faisait tous les jours avant que vous appreniez à parler. Vous direz à votre fille *Juste avant la mort, les intestins,* en pensant à votre mort à vous. Comment réagirez-vous ? La question vous vient parfois quand vous sortez de chez elle. Vous avez fait le deuil de sa parole, du moins il vous semble, mais au moment où votre mère fermera les yeux, vous éprouverez peut-être un immense regret. Le corps familier que vous recouvrirez d'un drap blanc sera resté jusqu'au bout celui du mystère. Vous vous reprocherez de ne pas avoir su faire surgir les confidences.

Est-ce pour cette raison que vous écrivez, comme ces femmes dont vous ouvrez délicatement les livres, le soir, avant le sommeil ? Muettes comme vous devant leur mère, c'est ainsi que vous les imaginez. Certaines viennent de pays que vous avez déjà traversés, d'autres de régions où vous ne vous rendrez jamais. Mais elles sont là, tout près, sous la lampe, elles laissent venir à vous leurs mots de colère, de compassion, ou de bonheur parfois, elles vous font confiance, elles ne doutent pas de votre accueil.

Le beau miracle des livres : une bouteille jetée à la mer qu'une autre femme recueillera un jour, du moins vous le souhaitez. Vous aurez trouvé les mots qu'elle n'avait pas appris à prononcer, son cœur recommencera à battre dans sa poitrine, elle prendra sa plume, noircira des pages et des pages, mais vous ne le saurez sans doute jamais puisque jamais vous ne la connaîtrez.

Fin de soirée

Après, on regarde la nappe comme une ville pillée, les cercles de sauce qui croisent les taches de vin, les croûtons de pain déchirés, les verres bordés de lèvres rouges, on se rappelle les bouches qui tantôt s'étiraient pour engloutir les viandes, le mouvement mécanique des mâchoires. Et pourtant la discrétion absolue, la distinction, la retenue des corps qui ont laissé derrière eux les goinfreries de l'enfance. On s'étonne que, malgré les belles manières, le chaos ait resurgi. Quelques instants d'oubli, l'abandon au plaisir des choses simples.

Seule maintenant, on débarrasse. On range. On accomplit le trajet répété de la salle à manger à la cuisine, on rince, on lave, on jette un regard admiratif sur les fleurs délicates de la vieille porcelaine comme on le faisait, fillette, quand on replaçait dans sa boîte le minuscule service de vaisselle hérité d'une grand-tante. À chaque visite des cousines, on dressait la petite table, nappe rose, coutellerie de plastique imitant l'argenterie, puis les assiettes, les tasses et les soucoupes. On allait chercher dans la cuisine des biscuits et de l'eau chaude vaguement parfumée de thé qu'on dégustait en bavardant. Cela s'appelait jouer.

Les cousines, on ne les voit plus, mariées, des enfants, à peine avait-on su que Sylvie était dépressive, *Incompréhensible*, avait dit sa mère, *une si belle maison, que peut-on désirer de plus* ? On n'avait rien répondu. On avait eu l'idée de lui téléphoner, de l'inviter, mais à quoi bon se retrouver l'une devant l'autre comme des étrangères.

Autour de la table tout à l'heure, il y avait des rires, des anecdotes, des souvenirs. La République tchèque, la Suisse, la Finlande, le Québec aussi, celui des années cinquante. Le besoin d'ancrer le présent dans le passé, on se créait une intimité, n'avait-on pas fait le deuil de ses premiers paysages pour être là, ensemble, vivantes de toute vie ? Est-ce Maria ou Karina qui a proposé un toast à l'amitié, peu importe, on revoit les verres tinter au-dessus de la flamme des chandelles, on est encore émue de la douceur du moment. Le miracle, espérer que ce petit geste puisse conjurer le mauvais sort.

Sur le visage, les années qui lentement se sont incrustées dans la chair, on pense de plus en plus souvent à la peau parcheminée de sa mère, *Deux ans que je ne l'ai pas vue*, a murmuré Eva en essayant de dissimuler un sanglot. L'habitude de vivre sans se retourner, les yeux secs, on assume ses choix, on fait face à la réalité. Pourtant, la nostalgie refait parfois surface au détour d'une phrase, et on se sent défaillir, l'odeur du mois de mai, les ciels lisses, le lilas qu'on cueillait en revenant de l'école, un baiser furtif volé derrière un arbre, l'amour soumis aux contraintes du hasard.

La maison a retrouvé son ordre. Il faudrait se coucher, mais on n'a pas sommeil. Seulement s'enfoncer dans un bain de mousse chaud pour étirer encore un peu la soirée, fixer dans un repli de la mémoire des mots qui rassurent, *Nous ne nous perdrons jamais*. On cherche des certitudes, du moins à cette heure bénie où il suffit de quelques illusions pour masquer le si sombre de la nuit.

Le dernier octobre

Ce sera la dernière fois qu'elle entrera dans l'immeuble. La dernière fois qu'elle composera le code d'accès pour ouvrir la porte. Elle s'engagera dans l'ascenseur jusqu'au troisième, il viendra lui ouvrir, prendra son manteau, puis on bavardera. De quoi lui parlera-t-elle ? De quoi parle-t-on à un homme qui ne se ressemble plus ? Le visage bouffi, le crâne dénudé par les traitements, l'air d'un vieillard, elle l'a à peine reconnu quand elle l'a revu, au début de la semaine. On a beau savoir, le réel ne s'incruste en nous que par les yeux. *Les dés sont jetés*, lui a-t-il avoué d'une voix grave, mais ferme encore. Arracher une semaine, un mois de plus à la vie, comme on se creuse un abri dans le temps. Il a pleuré, elle qui ne lui avait jamais vu une larme. Elle lui a essuyé la joue et il a souri, apaisé.

Quand elle l'a connu, quel âge avait-il ? Son âge à elle, maintenant. Mais elle le trouvait vieux déjà, elle se souvient. Même les garçons dans la vingtaine lui semblaient au bord de la retraite, elle en rit avec ses amis, les étudiants sont estomaqués qu'elle ait un fils de leur âge, elle ne s'en cache pas d'ailleurs, à quoi bon ? Ils s'en souviendront à l'approche de la cinquantaine, ce moment où l'on commence ses bilans. Crédit, débit. Est-ce qu'une carrière brillante réussit à faire oublier les années qui sont aspirées les unes après les autres dans un trou sans fond ?

Une lumière d'automne coule sur la ville ce matin. Les terrasses des cafés restent désertes, les touristes sont maintenant rentrés chez eux. Plus jeune, elle aurait souhaité habiter dans cette ville qui, au gré des voyages, lui est devenue de plus en plus familière. Elle avait eu un pincement au cœur quand il lui avait annoncé son départ! Quelle chance, on lui offrait un poste dans son pays, il terminerait là sa carrière. À la retraite, il retournerait dans sa ville natale, là où se trouvaient les archives dont il avait besoin. Il pourrait poursuivre ses recherches dans le plus parfait bonheur, il lui restait tant à faire! Elle s'était efforcée de sourire, peinée de le perdre, lui, son mentor. Il y avait aussi chez elle de l'envie, il lui décrivait une vie de rêve dans une ville de rêve alors qu'elle avait occupé ses vacances à préparer ses cours de la rentrée. Mais il était passé par là, lui aussi, les cours, les travaux à corriger, les tâches administratives, pour elle aussi viendrait le jour où elle retrouverait sa liberté.

Elle ne changerait de métier avec personne cependant. Les étudiants, les échanges avec les spécialistes, ce colloque, par exemple, une chance inespérée de revenir ici, de le revoir, lui, avant qu'il ne soit trop tard. En lisant les lettres qu'il lui adressait d'une main tremblante, ces derniers mois, elle ne voulait pas comprendre à quel point la maladie faisait son travail. Elle n'avait jamais compris la mort, non plus, même dans les salons funéraires, au milieu des œillets. Comme s'il suffisait d'une demande, d'une supplication, d'un geste pour que la personne étendue dans son sommeil tout à coup reprenne sa vie vivante. Un reste d'enfance peut-être, on lui avait si souvent raconté à l'école des histoires où les cadavres ressuscitaient. Les miracles, elle n'y croyait plus depuis une éternité, et pourtant.

Il avait commencé à se plaindre de maux de tête, au début de l'été, mais il ne s'inquiétait pas. Il travaillait trop, ne dormait pas assez, le médecin lui conseillait de se reposer, elle renchérissait, à quoi bon cette folie, est-ce que le fait de donner une conférence de plus change quoi que ce soit au moment du dernier souffle ? Mais elle lui exposait sa logique à elle, lui qui accumulait les présentations comme les financiers comptent leurs actions. Il sentait sa fin, obscurément, pourquoi ne l'avait-elle pas compris ?

Le boulevard, maintenant, le bruit des motos, l'odeur d'essence si caractéristique des villes taillées dans le roc, l'immeuble, l'immeuble où il l'attend. Il est seul, on le laisse seul encore, mais jusqu'à quand ? Ce qui arrivera dans les mois qui viennent, elle ne le sait pas, ou plutôt oui, la mémoire qui progressivement se brouille, le corps qui décline, l'agonie, il en parle presque sereinement, ce matin, comme un homme qui lit dans l'avenir. *Toi, tu te crois éternelle*, lui avait-il dit il y a quelques années, alors qu'elle multipliait dans son régime les aliments santé. Elle avait ri. Mais depuis, elle avait pu remarquer à quel point on nie les traces du temps, en Amérique. Les vieux édifices, les monastères, tout peut être rasé. Effacé. Même les corps peuvent être rénovés, avec de l'argent. La jeunesse, comme une religion.

Pas plus qu'elle, il n'est croyant. Ils ont pourtant visité ensemble des églises historiques, elle lui avait demandé un jour de l'emmener à la synagogue. Elle était entrée sur la pointe des pieds, avait suivi les explications qu'il lui donnait à voix basse, puis ils étaient sortis se perdre dans le soleil éblouissant du mois d'août. Il n'est pas croyant, mais ce matin, elle a presque envie de lui demander si, à l'heure où l'on fait ses comptes avec la vie, l'enfance nous rattrape, et le nom de Dieu.

Tant de questions qui lui viennent, pêle-mêle, mais qu'elle ne lui posera pas. Ce n'est pas la pudeur, plutôt un engourdissement qu'elle ressent dans tous ses membres, alors qu'elle l'écoute, assise devant lui, dans ce salon bigarré. Il parle et elle l'écoute, elle essaie de retenir toutes ses phrases, comme dans les cours qu'il donnait à l'université. Que lui reste-t-il de cette époque-là ? Elle a presque tout oublié de son enseignement, mais elle garde sa passion de la littérature, c'est ce qu'il lui a donné de plus précieux, ce qu'elle essaie de transmettre elle aussi à ses étudiants. Le sait-il ? Il faudrait faire un effort, le lui dire, elle ne sera pas là pour lui fermer les yeux. Elle recevra un interurbain, une belle journée, dans quelques semaines ou quelques mois, on ne peut savoir le temps que peut résister un corps avant d'accepter de lâcher prise. Mais l'homme devant elle est encore bien vivant. Le voilà d'ailleurs qui veut faire une promenade.

Le poids de la lourde silhouette accrochée à son bras, l'inquiétude d'un malaise comme ceux qui le prennent parfois, le regard étonné des passants, elle se souviendra de tout, elle le veut. Elle marche, à petits pas, elle retient dans sa tête chaque bruit, chaque image en se demandant comment elle se sentira la première fois qu'elle accomplira seule ce trajet. Il y aura d'autres voyages, d'autres automnes semblables à des étés sans espoir, des éclats de lumière qui pèseront durement sur le sol. Pour l'instant, il avance dans les flaques de soleil, il parle, désinvolte, il se fâche contre les automobilistes, il rit, il a peut-être oublié que l'an prochain il ne verra pas le mois d'octobre. Et elle avance, à côté de lui, en le soutenant, elle sourit. Lui faire croire, le temps d'une promenade, à l'immortalité du présent, à la caresse éternelle du vent sur la peau. Protéger ce moment.

Mais il faudra bien rentrer. Ensemble, ils remonteront le boulevard, prendront l'ascenseur jusqu'à l'appartement. Elle s'assoira encore un peu, puis se lèvera, il faudra bien se décider à se lever, à le laisser là, au milieu de ses livres. La gorge serrée, elle se retournera pour lui sourire, une fois encore. Elle ne remarquera pas le masque de la mort, imprimé sur son visage. Elle n'ira pas au musée ni au cinéma, elle passera l'après-midi à errer dans la ville. Devant elle se dessinera peu à peu le visage d'une femme qui, un jour, recevra pour la dernière fois une ancienne étudiante.

Note bibliographique

Les nouvelles qui suivent ont déjà été publiées sous une version différente :

« Pas à pas » (sous le titre « Funambule ») dans *Arcade*, n° 54, 2002 ; « Babel heureuse » dans le catalogue de l'exposition de 2007 d'*Artefact Montréal : Sculptures urbaines/Urban Sculptures* sur le thème d'Expo 67 ; « Les yeux givrés » (sous le titre « Les yeux gelés ») dans *Arcade*, n° 25, automne 1992 ; « Le dé à coudre » dans *Un lac, un fjord, un fleuve : Jardins secrets*, Chicoutimi, Éditions JCL, 1991 ; « L'Étoile » dans *Arcade*, n° 31, 1994 ; « Le monde vidé » dans *VWA* (Suisse), n° 26, hiver 1998-1999 ; « Histoire de poupée » dans *Mœbius*, n° 47, 1991 ; « Un rire » dans *XYZ. La revue de la nouvelle*, n° 76, hiver 2003, puis dans *Siècle 21* (Paris), n° 9, automne-hiver 2006 ; « Ailleurs, New York » dans *Voix parallèles/Parallel Voices*, Montréal, XYZ éditeur et Kingston, Quarry Press, 1993 ; « La vie rêvée » dans *La maison du rêve*, Montréal, l'Hexagone, 2000 ; « Les mots désuets » dans *XYZ. La revue de la nouvelle*, n° 48, hiver 1996 ; « Funérailles » (sous le titre « La petite fille ») dans *Lieux d'être*, été 1999 ; « Le chat » dans *Revue de la maison de la poésie Rhône-Alpes*, n° 8, 1990 ; « Chambre 28 » dans *XYZ. La revue de la nouvelle*, n° 28 ; « Le retour » dans *Arcade*, n° 45, hiver 1999 ; « Tous les jardins, tous les parcs » dans *XYZ. La revue de la nouvelle*, n° 50, été 1997 ; « Une bouteille à la mer » dans *Tessera*, vol. 33-34, hiver 2003 ; « Fin de soirée » dans *Arcade*, n° 27, printemps 1993 ; « Le dernier octobre » dans *Arcade*, n° 62, 2004.

Table

III

Dans la même collection

Donald Alarie, *Tu crois que ça va durer ?*
Émilie Andrewes, *Eldon d'or.*
Émilie Andrewes, *Les mouches pauvres d'Ésope.*
J. P. April, *Les ensauvagés.*
J. P. April, *Mon père a tué la Terre.*
Aude, *Chrysalide.*
Aude, *L'homme au complet.*
Aude, *Quelqu'un.*
Noël Audet, *Les bonheurs d'un héros incertain.*
Noël Audet, *Le roi des planeurs.*
Marie Auger, *L'excision.*
Marie Auger, *J'ai froid aux yeux.*
Marie Auger, *Tombeau.*
Marie Auger, *Le ventre en tête.*
Robert Baillie, *Boulevard Raspail.*
Katia Belkhodja, *La peau des doigts.*
André Berthiaume, *Les petits caractères.*
André Brochu, *Les Épervières.*
André Brochu, *Le maître rêveur.*
André Brochu, *La vie aux trousses.*
Serge Bruneau, *L'enterrement de Lénine.*
Serge Bruneau, *Hot Blues.*
Serge Bruneau, *Rosa-Lux et la baie des Anges.*
Roch Carrier, *Les moines dans la tour.*
Daniel Castillo Durante, *La passion des nomades.*
Daniel Castillo Durante, *Un café dans le Sud.*
Normand Cazelais, *Ring.*
Denys Chabot, *La tête des eaux.*
Pierre Chatillon, *Île était une fois.*
Anne Élaine Cliche, *Rien et autres souvenirs.*
Hugues Corriveau, *La maison rouge du bord de mer.*
Hugues Corriveau, *Parc univers.*
Esther Croft, *De belles paroles.*
Esther Croft, *Le reste du temps.*
Claire Dé, *Sourdes amours.*
Guy Demers, *L'intime.*
Guy Demers, *Sabines.*
Jean Désy, *Le coureur de froid.*
Jean Désy, *L'île de Tayara.*
Danielle Dubé, *Le carnet de Léo.*
Danielle Dubé et Yvon Paré, *Un été en Provence.*
Louise Dupré, *La Voie lactée.*
Sophie Frisson, *Le vieux fantôme qui dansait sous la lune.*
Pierre Gariépy, *Lomer Odyssée.*
Jacques Garneau, *Lettres de Russie.*
Bertrand Gervais, *Gazole.*
Bertrand Gervais, *L'île des Pas perdus.*
Bertrand Gervais, *Oslo.*
Bertrand Gervais, *Tessons.*
Mario Girard, *L'abîmetière.*
Sylvie Grégoire, *Gare Belle-Étoile.*
Hélène Guy, *Amours au noir.*
Louis Hamelin, *Betsi Larousse.*
Julie Hivon, *Ce qu'il en reste.*

Young-Moon Jung, *Pour ne pas rater ma dernière seconde.*
Sergio Kokis, *Les amants de l'Alfama.*
Sergio Kokis, *L'amour du lointain.*
Sergio Kokis, *L'art du maquillage.*
Sergio Kokis, *Errances.*
Sergio Kokis, *Le fou de Bosch.*
Sergio Kokis, *La gare.*
Sergio Kokis, *Kaléidoscope brisé.*
Sergio Kokis, *Le magicien.*
Sergio Kokis, *Le maître de jeu.*
Sergio Kokis, *Negão et Doralice.*
Sergio Kokis, *Le retour de Lorenzo Sánchez.*
Sergio Kokis, *Saltimbanques.*
Sergio Kokis, *Un sourire blindé.*
Andrée Laberge, *La rivière du loup.*
Micheline La France, *Le don d'Auguste.*
Andrée Laurier, *Horizons navigables.*
Andrée Laurier, *Le jardin d'attente.*
Andrée Laurier, *Mer intérieure.*
Claude Marceau, *Le viol de Marie-France O'Connor.*
Véronique Marcotte, *Les revolvers sont des choses qui arrivent.*
Felicia Mihali, *Luc, le Chinois et moi.*
Felicia Mihali, *Le pays du fromage.*
Pascal Millet, *L'Iroquois.*
Marcel Moussette, *L'hiver du Chinois.*
Clara Ness, *Ainsi font-elles toutes.*
Clara Ness, *Genèse de l'oubli.*
Paule Noyart, *Vigie.*
Madeleine Ouellette-Michalska, *L'apprentissage.*
Yvon Paré, *Les plus belles années.*
Jean Pelchat, *La survie de Vincent Van Gogh.*
Jean Pelchat, *Un cheval métaphysique.*
Michèle Péloquin, *Les yeux des autres.*
Daniel Pigeon, *Ceux qui partent.*
Daniel Pigeon, *Dépossession.*
Daniel Pigeon, *La proie des autres.*
Hélène Rioux, *Le cimetière des éléphants.*
Hélène Rioux, *Mercredi soir au Bout du monde.*
Hélène Rioux, *Traductrice de sentiments.*
Martyne Rondeau, *Ravaler.*
Martyne Rondeau, *Ultimes battements d'eau.*
Jocelyne Saucier, *Les héritiers de la mine.*
Jocelyne Saucier, *Jeanne sur les routes.*
Jocelyne Saucier, *La vie comme une image.*
Denis Thériault, *Le facteur émotif.*
Denis Thériault, *L'iguane.*
Adrien Thério, *Ceux du Chemin-Taché.*
Adrien Thério, *Marie-Ève ! Marie-Ève !*
Adrien Thério, *Mes beaux meurtres.*
Gérald Tougas, *La clef de sol et autres récits.*
Pierre Tourangeau, *La dot de la Mère Missel.*
Pierre Tourangeau, *La moitié d'étoile.*
Pierre Tourangeau, *Le retour d'Ariane.*
André Vanasse, *Avenue De Lorimier.*
France Vézina, *Léonie Imbeault.*

DANGER

LE PHOTOCOPILLAGE TUE LE LIVRE

PROTÉGEONS NOS FORÊTS

FSC

Recyclé
Contribue à l'utilisation responsable
des ressources forestières
www.fsc.org   Cert no. SGS-COC-2624
© 1996 Forest Stewardship Council

100%

Cet ouvrage
composé en Palatino corps 11,5 sur 14,5
a été achevé d'imprimer
en mars deux mille huit
sur les presses de
l'Imprimerie Gauvin,
Gatineau (Québec), Canada.